Les trésors d'Haïti

Linda Shaunessy

R.K. Publishing Inc.
32 Limcombe Drive, Thornhill, ON L3T 2V5
www.rkpublishing.com

Adresses électroniques :
frenchtextbooks@rkpublishing.com
ruby@rkpublishing.com

Tél. : 905 889-3530
Sans frais : 1 866 696-9549
Téléc. : 905 889-5320

Chargée de l'édition : Ruby Kaplan
Rédacteur en chef : Art Coulbeck
Service à la clientèle : Susie Baccin
Auteure : Linda Shaunessy
Artiste : Greg Ruhl
Mise en pages : First Image

ISBN – 978-1-926809-38-0

Écrit, imprimé et relié au Canada

Nous tenons à remercier tout particulièrement tous les éducateurs et éducatrices pour leurs précieuses contributions.

Nous remercions l'aide financière du gouvernement du Canada par l'entremise du Programme d'aide au développement de l'industrie de l'édition (PADIÉ) pour nos activités d'édition.

Nous reconnaissons le gouvernement de l'Ontario par l'entremise de l'initiative pour l'industrie du livre de l'Ontario de la Société du développement de l'industrie des médias.

Photo Credits:
20 *Bidonville*, Port-au-Prince/Jan Sochor/Alamy; **23** Toussaint Louverture, liberator of Haïti/North Wind Picture Archives/Alamy; **37** Tap-tap/Tommy Trenchard/Alamy; **38** National Palace before the earthquake/Roger Hutchings/Alamy; **43** Cité-Soleil/Jan Sochor/Alamy; **76** Approaching Jacmel/Janos Csemoch/Alamy; **88** Presidential Palace/ Imagestate Media Partners Limited – Impact Photos/Alamy; **103** Aftermath of the earthquake/Craig Ruttle/Alamy; **110** Digging out after the earthquake/Shorelark/Alamy

Table des matières

Chapitre 1

Le voyage

Par le hublot de l'avion, en ce matin d'octobre 2009, Karine admirait le lever du soleil, une spectaculaire boule rouge sur l'horizon. Elle pouvait voir en bas la mer scintillante parsemée d'îles vertes. C'était si bon de voir toute cette verdure! À Montréal, il faisait déjà froid, le ciel était gris, et il pleuvait continuellement le temps typique de la fin d'octobre. Mais elle allait vivre dans un pays où c'était toujours l'été! Son cœur bondissait de joie, et frémissait d'appréhension. Bientôt, elle arriverait à Haïti! Qu'est-ce qu'elle y trouverait? Est-ce qu'elle pourrait vraiment aider? Elle se sentait tout à coup si jeune!

Où se trouve Haïti? Quelle est sa situation économique? Qu'est-ce qui s'est passé à Haïti en janvier 2010?

Toutes les images qu'elle avait vues dans des livres et dans Internet circulaient dans sa tête : les belles plages près de Jacmel, les palmiers dans les parcs de Pétionville, les danseurs dans les rues de Port-au-Prince pendant le carnaval. Mais aussi, les tristes visages des enfants dans la rue, les déchets, les cabanes rouillées et les mares d'eau contaminée à Cité-Soleil.

À ton avis, pourquoi Karine va-t-elle à Haïti? Qui veut-elle aider?

Dans le siège à côté d'elle, son ami Antoine l'observait d'un air amusé. Elle était si impatiente de faire quelque chose! Elle ne demandait qu'à aider. Déjà, elle repoussait la ceinture de sécurité qui l'immobilisait pour mieux voir Haïti, pour y arriver plus vite.

Pour Antoine, c'était plus compliqué. Haïti était le pays de ses ancêtres, un endroit qui faisait partie de son identité et qui l'avait toujours intrigué. Il avait de

la famille à Haïti, des cousins de sa mère qu'il n'avait jamais rencontrés. Il était un peu nerveux de faire leur connaissance. Ils ne parlaient probablement que le créole, et Antoine connaissait seulement un peu cette langue. Qu'est-ce qu'il ferait? Et est-ce qu'il pourrait bien faire le travail qu'on lui avait offert? Il ne savait pas s'il pourrait supporter le fait de devoir continuellement faire face à la pauvreté. Il avait entendu raconter tant d'histoires! Est-ce que ce serait trop déprimant de vivre dans ce pays? Y avait-il un peu d'espoir dans la tragédie?

À ton avis, pourquoi Karine et Antoine voyagent-ils ensemble?

Retour en arrière

- Décris les émotions que Karine et Antoine ressentent pendant le voyage vers Haïti.

Regard sur l'avenir

- Que vont faire les deux jeunes à Haïti?

Réflexion

- Tu viens d'examiner les émotions qu'on ressent devant l'inconnu. Comment tes expériences personnelles t'ont-elles aidé(e) à comprendre ce chapitre?

La rencontre

Antoine et Karine se sont rencontrés quatre mois avant le voyage, pendant une réunion à l'université pour les étudiants intéressés à faire partie d'un groupe de volontaires qu'on allait envoyer à Haïti. Ils avaient tous les deux 19 ans. Antoine étudiait en prémédecine, et Karine, en sciences sociales.

À ton avis, comment Karine et Antoine se sont-ils rencontrés?

Karine s'est assise à côté d'Antoine et lui a demandé : « Qu'est-ce que tu écoutes? » C'est qu'en entrant dans la salle Antoine écoutait de la musique sur son iPod, et on pouvait entendre le son s'échapper légèrement de ses écouteurs. Antoine a répondu : « C'est de la musique haïtienne. On appelle ça *mizik rasin,* de la musique racine. Le groupe s'appelle Boukman Eksperyans. Tu veux en écouter? » Il a passé ses écouteurs à Karine. Elle a tellement aimé la musique qu'ils en ont parlé pendant vingt minutes. Ils ont eu un peu de difficulté à interrompre leur conversation si intéressante pour écouter parler le directeur du programme des volontaires!

Décris une rencontre que tu trouves particulièrement originale ou impressionnante. Elle peut être réelle ou imaginaire.

Après ce jour-là, ils se sont rencontrés souvent pour les réunions, et ils sont devenus de bons amis. Tous deux s'intéressaient beaucoup à Haïti, et voulaient y aller depuis longtemps. Peu à peu, ils ont commencé à aller à des concerts de leur musique favorite et dans des cafés pour jaser ensuite. Ils ont fait les préparatifs pour le voyage ensemble, les immunisations, les passeports, les achats. À plusieurs reprises, ils sont sortis à quatre parce que Karine sortait avec un garçon qui s'appelait Jean-Marc, et Antoine, avec une très jolie fille, Andrée, qu'il avait rencontrée dans un club.

À ton avis, qui est le jeune homme avec Karine? Pourquoi est-elle fâchée? Qu'est-ce qui a provoqué leur dispute?

Malheureusement, le voyage à Haïti a créé pas mal de problèmes pour Karine et Antoine. Jean-Marc n'aimait pas du tout l'idée que Karine parte pour un an, et il disait trop souvent qu'il trouvait l'idée stupide. Il se moquait de Karine et la traitait de « missionnaire ». Un soir, Karine en a finalement eu assez! Normalement, elle était si douce et si calme que Jean-Marc a été étonné de l'entendre dire : « Alors, si tu penses que je suis si stupide, pourquoi restes-tu avec moi? Je ne veux plus écouter tes remarques idiotes! Si tu m'aimais, tu ne dirais pas de telles choses! Tu serais heureux de voir que j'ai de l'ambition, que je veux faire quelque chose de bon! Va-t'en, et fiche-moi la paix! »

Quand Jean-Marc est parti, sans s'excuser et en passant d'autres remarques blessantes, Karine a téléphoné à Antoine pour lui demander conseil. Elle pleurait.

– Antoine, nous sortons ensemble depuis dix mois, et je pensais que je vivais quelque chose de bien avec Jean-Marc! Est-ce que j'ai eu raison de casser avec lui?

Si tu pouvais conseiller Karine et Jean-Marc, que leur dirais-tu?

Antoine a hésité avant de répondre.

– Karine, je ne sais pas quoi te dire, a-t-il répondu. C'est que… eh bien, moi aussi, j'ai cassé avec Andrée, presque pour la même raison! Elle n'était pas du tout contente de ne pas avoir de chum pendant toute une année, et elle m'a dit que, si je pouvais partir comme ça, je ne l'aimais pas vraiment! Est-ce que je l'aime? Je ne sais pas! Je ne lui ai jamais dit « je t'aime », c'était juste le fun d'être avec elle, mais... c'est triste de rompre, non? Je me sentais si triste et si seul quand tu m'as appelé!

Qu'en penses-tu? Pourront-ils rester amis? Explique ton opinion.

Après presque trois heures de conversation téléphonique, ils ont tous les deux décidé de se passer d'amour et de se concentrer sur ce voyage tant anticipé. Au revoir à ces relations amoureuses si difficiles! Ils allaient se soutenir et s'entraider, pour faire de ce voyage l'expérience d'une vie!

Ils étaient très heureux quand ils ont appris qu'ils allaient vivre dans la même maison à Haïti, avec la famille d'un médecin canadien d'origine haïtienne qui s'était marié avec une Haïtienne, et qui travaillait pour Médecins Sans Frontières. Ça allait être beaucoup plus facile avec un bon ami si près!

On leur a donné des précisions sur leurs stages. Karine allait travailler dans un hôpital de Médecins Sans Frontières, un hôpital obstétrique d'urgence réputé appelé la Maternité Solidarité. Elle était très heureuse d'avoir obtenu ce poste, grâce auquel elle allait pouvoir aider des femmes et des enfants. Elle, qui travaillait dans une garderie à temps partiel depuis longtemps, adorait les bébés. Elle avait hâte de commencer son travail!

Antoine, au contraire, était pas mal nerveux! Il allait travailler dans un hôpital à Martissant, un bidonville (un quartier très pauvre) où on vivait à la dure. Il y avait eu de la violence politique là-bas, et aussi des bandes qui attaquaient et battaient des gens. L'université avait choisi Antoine pour ce poste parce qu'il était grand et fort, et qu'il comprenait un peu le créole. Mais Antoine ne se sentait pas fort du tout! Il se sentait comme un petit garçon à qui on avait dit : « Maintenant, tu es un homme! » mais qui pouvait voir dans le miroir la peur dans ses yeux!

Retour en arrière

- Décris les problèmes que Karine et Antoine ont dû résoudre. Comment les ont-ils résolus?

Regard sur l'avenir

- Prédis ce qui va arriver à Karine et à Antoine une fois qu'ils seront à Haïti.

Réflexion

- Choisis cinq nouveaux mots ou expressions que tu as rencontrés dans les deux premiers chapitres. Explique ce qu'ils signifient.

L'histoire d'Antoine

Depuis son enfance, Antoine entendait des histoires sur Haïti à la maison. Il avait toujours rêvé d'aller voir ce pays d'enchantement. Il avait écouté de la musique haïtienne, lu des contes de fée haïtiens, et mangé la cuisine créole si savoureuse de sa grand-mère, Flore. Même les histoires effrayantes de vaudou l'intéressaient, et il avait fait pas mal de recherches sur cette religion pour la comprendre, et pour constater que les histoires exagéraient énormément à ce sujet. Il avait lu des livres écrits par des auteurs haïtiens.

Est-ce qu'il y a un pays dont tu rêves? Lequel? Que fais-tu pour en apprendre davantage à son sujet?

Il se souvenait que, petit, il s'asseyait sur les genoux de sa grand-mère pour l'écouter raconter des histoires de sa jeunesse, des réminiscences d'un Haïti joli et heureux. Elle était jeune femme pendant les années 1950, quand Port-au-Prince, la capitale, était un centre touristique beau et riche. Il y avait beaucoup de festivals, on construisait de beaux bâtiments, et c'était la fête. Son mari, le grand-père d'Antoine, travaillait pour une compagnie de transport maritime qui marchait très bien, et ils faisaient beaucoup de voyages, en Jamaïque, à Miami, et même à Paris. Elle était professeure dans une école secondaire pour filles, et le couple était si heureux! Quand il était petit, Antoine imaginait Haïti comme un paradis de palmiers, de couleurs vives, et de gens dansant et riant.

Sa grand-mère n'aimait pas parler des problèmes, survenus plus tard dans les années 1960. Elle préférait jouer de la musique, parler de cuisine et de danse. C'est la mère d'Antoine et son frère, l'oncle d'Antoine, qui lui avaient raconté ce qu'ils savaient des années où la situation avait changé dramatiquement.

La mère d'Antoine n'était pas encore née quand sa famille a dû s'échapper du pays pour se réfugier à Montréal. Le président dictateur d'Haïti, François Duvalier, qu'on avait surnommé « Papa Doc », menaçait sa famille, parce que sa mère était éduquée et enseignait la politique à son école, et que son père travaillait pour une compagnie qui lui permettait de se rendre régulièrement dans d'autres pays. Un jour, le gouvernement était venu confisquer la compagnie. Un ami avait averti le grand-père d'Antoine qu'on allait les arrêter pour les « interroger », et ils se sont échappés, durant la nuit, dans un petit bateau qui allait en Jamaïque. Là, ils ont pris un avion pour Montréal, où il y avait déjà des émigrés qui pouvaient les aider. Une de ces familles était les Cyprien, dont le plus jeune fils est devenu plus tard le père d'Antoine.

La grand-mère d'Antoine n'aimait pas parler de ces jours terribles, alors qu'elle voyageait vers un nouveau pays avec un bébé, la tante d'Antoine, et un petit garçon de deux ans, son oncle. Ils avaient toujours peur que les tontons macoutes, la milice paramilitaire de Duvalier, les trouvent. Au Canada, ils avaient de la difficulté à s'accoutumer au pays, à l'hiver, à la culture si différente.

Ils avaient un peu d'argent pour recommencer leur vie au Canada, mais le grand-père d'Antoine voulait aller

chercher le reste de son argent, qui était resté dans une banque à Port-au-Prince. Tout le monde lui disait que ce serait trop dangereux, mais il voulait tellement aider sa famille! Il voulait faire éduquer ses enfants et les mettre à l'abri du besoin. Alors, il est retourné à Haïti, et les tontons macoutes l'ont arrêté et tué. Antoine n'a pas connu son grand-père. Sa photo était sur le mur du salon, à la maison, et Antoine a vu, plus d'une fois, sa grand-mère, sa mère ou son oncle, devant la photo, les larmes aux yeux. Alors Antoine a appris que ce pays d'enchantement avait deux visages : un qui était joli et heureux, et l'autre qui était laid et terrible.

Retour en arrière

- Décris la vie de la famille d'Antoine à Haïti. Pourquoi a-t-elle dû quitter le pays? Qu'est-ce qui est arrivé au grand-père d'Antoine?

Regard sur l'avenir

- Penses-tu qu'Antoine sera heureux de ce qu'il découvrira à Haïti? Explique ta réponse.

Réflexion

- Comment tes expériences personnelles, y compris des films que tu as vus et des livres que tu as lus, t'ont-elles aidé(e) à comprendre ce chapitre?

Le reste de l'histoire

Quand les Duvalier ont finalement quitté Haïti, au milieu des années 1980, l'oncle d'Antoine et sa grand-mère, Flore, voulaient y retourner pour essayer de retrouver leur famille, leur maison, un peu de leur passé. Mais ils ont dû attendre jusqu'en 2006, parce que, après le régime des Duvalier, il y a eu de longues et terribles années d'instabilité et de violence. Il y a eu aussi l'ouragan Jeanne, en 2004, qui a causé des dommages importants et entraîné la mort de centaines de personnes. Quand René Préval a été réélu président en 2006, et que les Nations Unies ont envoyé des soldats à Haïti pour assurer la paix, ils ont décidé de faire le voyage.

Fais un sommaire de la vie à Haïti de la famille d'Antoine.

Antoine voulait tellement les accompagner! Mais on lui a dit que c'était encore trop dangereux, et il est resté à la maison avec son père, qui ne pouvait pas laisser son travail à l'hôpital. Il a souhaité un bon voyage à sa mère, à son oncle et à sa grand-mère, qui espéraient voir le bel Haïti d'auparavant, et aussi retrouver leurs cousins.

Quelle déception pour eux! Dans leur beau pays, tout était différent de leurs souvenirs. Les cousins vivaient encore, mais ils étaient si pauvres! Ceux qui vivaient à la campagne avaient encore leur ferme, mais il était chaque année de plus en plus difficile de cultiver assez pour pouvoir vivre. La déforestation avait détruit beaucoup de terres, et le sol devenait de plus en plus sec. Il était difficile de trouver assez d'eau potable. Flore a donné de l'argent aux cousins, et elle a promis d'en envoyer tous les mois, mais elle était déprimée devant tant de

pauvreté. Port-au-Prince était devenue si pauvre, si sale! Beaucoup de beaux bâtiments avaient été détruits, et tant de gens vivaient dans des bidonvilles affreux, sans électricité, sans égouts, sans espoir.

Flore était également bouleversée de constater que le créole était devenu la langue officielle du pays, et que tout le monde le parlait! Elle qui insistait toujours pour qu'on parle un « bon français » à la maison, qui n'aimait pas que son fils enseigne quelques mots de créole à son neveu!

En groupe, discutez de ce qu'on peut faire pour améliorer les conditions de vie à Haïti.

Antoine se souvenait bien du jour où il avait dit, en revenant de l'école : « Hé, mémère, tu sais que mon ami Gilles a foxé un cours hier, et que le prof… » Sa grand-mère avait explosé!

– Mais qu'est-ce que c'est que ça! Je suis ta GRAND-MÈRE! Tu me vouvoies! Où est passé ton respect? Et qu'est-ce que c'est que cette vulgarité? Je ne veux plus jamais entendre pareil langage, tu m'entends? Je suis professeure! Ta mère est professeure à l'université, ton père est médecin, tu ne vas pas parler comme un enfant de la rue!

À ton avis, Flore a-t-elle raison d'insister pour qu'Antoine parle un « bon français »? Y a-t-il des situations où un langage moins formel est acceptable?

Antoine a dû demander pardon immédiatement. Pour sa grand-mère, parler comme une personne éduquée était très important!

Flore est revenue d'Haïti déçue et triste. Elle ne voulait plus y retourner. Mais maintenant, son petit-fils sentait grandir en lui un désir profond d'aller à Haïti, d'aider à restaurer le pays. Il voulait recréer le paradis que sa grand-mère avait décrit. Quand tout le monde parlait de son pays (parce qu'il considérait Haïti comme son autre pays) comme si c'était un désastre qui ne pourrait jamais être réparé, il criait : « Non! Vous avez tort! Haïti était beau et prospère, il n'y a pas si longtemps! Je le sais! Et il peut être beau et riche de nouveau! »

Peu à peu, dans le cœur d'Antoine, une grande détermination a commencé à croître. Un jour, il allait faire le voyage à Haïti, et il allait vraiment faire quelque chose pour aider! Quand il a entendu parler du groupe de volontaires que l'université allait y envoyer, il s'est décidé.

Quand Antoine a décidé de se joindre aux volontaires, sa grand-mère était bouleversée.

– Non! a-t-elle crié. Tu ne peux pas! C'est trop dangereux, je ne veux pas te perdre!

Comment réagirais-tu à une telle annonce? Si tu décidais de participer comme volontaire, quels seraient les plus grands obstacles que tu aurais à affronter?

Mais au même moment, elle l'a embrassé en disant : « Oh, mon cher petit, je suis si fière de toi! »

Ses parents n'étaient pas heureux de sa décision non plus. Son père essayait d'en rire, mais seulement parce que les deux femmes pleuraient à chaudes larmes.

Trouves-tu les réactions de la famille d'Antoine typiques? Explique ta réponse.

– Aïe, Antoine, on n'aurait jamais dû te donner le nom de Toussaint, ça t'a donné trop d'idées!

Son nom complet était Antoine T.L. Cyprien, et il devait expliquer constamment à ses camarades que ces initiales désignaient Toussaint Louverture, le héros de l'indépendance haïtienne.

Toussaint Louverture

Fais des recherches sur Toussaint Louverture. Présente ce que tu as découvert à ton groupe.

À présent, il était assis dans un avion, prêt à voir ce pays jamais vu mais tant aimé. En pensant à sa chère famille, qui l'aimait tant, ses mains se sont crispées sur ses genoux. Il voulait leur redonner ce beau pays! Et il allait aider, n'importe où, n'importe comment!

Retour en arrière

- Quelle a été la ww de la famille d'Antoine quand il leur a annoncé sa décision?

Regard sur l'avenir

- À ton avis, comment la famille de Karine va-t-elle réagir?

Réflexion

- Quelles stratégies de lecture as-tu trouvées utiles en lisant ce chapitre?

L'histoire de Karine

Karine a remarqué les mains crispées et la mâchoire serrée d'Antoine, et elle a mis sa main sur la sienne.

Comment Antoine et Karine ont-ils appris qu'on cherchait des volontaires pour aller à Haïti?

- Ça va, Antoine? a-t-elle demandé. Ne sois pas si nerveux, je suis certaine qu'on va bien se débrouiller!

Elle lui a souri, les yeux brillants de sympathie.

- Merci, Karine, ça va passer! Mais, tu n'es jamais nerveuse, toi? Une si grande tâche nous attend!
- Oui, des fois! a dit Karine. Mais je me suis tant battue pour faire ce voyage que je n'y pense pas en ce moment! Finalement, je vais faire exactement ce que je voulais faire!

Compare les réactions de Karine et d'Antoine. Laquelle te paraît la plus réaliste? Pourquoi?

Antoine s'est mis à rire en voyant la détermination sur le visage de son amie.

– T'es super, toi! dit-il. Bon, je vais m'aider en me répétant la même chose! Finalement, je fais exactement ce que je veux faire!

Il a frappé sa cuisse du poing, grimaçant et riant à la fois. Karine s'est mise à rire elle aussi, puis elle s'est retournée pour regarder par le hublot. Elle pensait maintenant à son tour au conflit qu'elle avait eu avec sa famille au sujet de ce voyage.

Comment les parents de Karine réagissent-ils à ce qu'elle leur apprend? Quels arguments vont-ils lui présenter pour l'empêcher de partir?

Ses parents avaient toujours essayé de donner le meilleur à leurs enfants – les meilleures écoles, les plus beaux vêtements, toutes les choses qu'ils n'avaient pas eues eux-mêmes. Le père de Karine venait d'une famille de bûcherons d'un petit village de la Côte-Nord du Québec. Il avait été le premier de sa famille à trouver un bon emploi dans la grande ville, à avoir une belle vie, une grande maison, une belle voiture, des vacances en Floride. Il avait créé sa propre entreprise de construction, après avoir travaillé très fort comme ouvrier. Sa mère était née dans un village de la Gaspésie où tout le monde vivait de la pêche. Après avoir terminé l'école, elle était partie chercher du travail à Montréal. Elle travaillait comme serveuse dans un petit restaurant quand elle avait rencontré son futur mari.

Karine, la cadette de la famille, était chérie et même choyée. Quand elle était petite, sa chambre était pleine de jouets et de beaux vêtements. Ses parents lui avaient donné tout ce qu'ils n'avaient pas pu avoir à son âge. Toujours le meilleur, le plus récent, le plus cher. Karine appréciait ce que ses parents faisaient pour elle, mais elle savait que toutes ces possessions n'étaient pas ce qu'elle désirait vraiment. Tout ce qu'elle voulait, c'était de prendre soin des autres, leur donner ce dont ils avaient besoin! Elle se souvenait très bien du jour où elle avait vu une petite fille dans la cour de récréation qui avait l'air pauvre, et dont les souliers étaient usés. Karine n'avait que six ans, mais elle avait ôté ses belles espadrilles roses toutes neuves pour les donner à la petite fille. Comme sa mère était fâchée!

À l'école, c'était la même chose. Elle était toujours en train de donner quelque chose à quelqu'un. Elle voulait toujours aider la professeure. Pendant que ses camarades étaient en récréation, elle restait à l'intérieur pour aider l'éducatrice au jardin d'enfants. Quand elle pouvait, elle gardait les enfants des voisins, même si sa mère lui disait : « Mais tu n'en as pas besoin! Tu as tout ce que tu veux, tu n'as pas besoin d'argent! Pourquoi aller changer des couches et moucher des petits nez sales quand tu n'as pas besoin de le faire? Je ne te comprends pas! »

À ton avis, une enfant choyée comme Karine réagit-elle de cette façon habituellement? Explique ta réponse.

Quand elle avait dix ans, Karine avait vu à la télévision un documentaire sur Haïti qui montrait les conditions de vie épouvantables dans lesquelles vivaient les habitants de Cité-Soleil. Elle était horrifiée. Ces belles petites filles de son âge, vivant dans des cabanes de métal rouillé, mangeant seulement une bouchée de riz et de pois jour après jour, quand elles avaient la chance de pouvoir en trouver! Elles ne pouvaient pas aller à l'école. Elles n'avaient pas un beau lit à baldaquin – elles dormaient sur le sol, avec parfois une couverture déchirée pour se protéger des moustiques. Quand le documentaire avait montré deux petites filles qui vivaient dans la rue parce que leurs parents avaient été tués, Karine avait éclaté en sanglots! Sa mère avait accouru pour voir ce qui se passait et avait essayé de la réconforter, mais Karine était inconsolable.

– Non! Non! Ce n'est pas juste! a-t-elle répété entre les sanglots, ce n'est pas juste! On doit les aider! On doit! Maman, maman, dis-moi que nous allons les aider!

Elle avait tant pleuré qu'elle en était tombée malade, et elle n'avait presque pas dormi pendant trois jours. Elle avait insisté pour envoyer à ces fillettes tout ce qu'elle pouvait. Cette année-là, elle avait demandé qu'on ne lui donne pas de cadeaux à son anniversaire, seulement de l'argent. Elle l'avait tout envoyé à la Croix-Rouge, pour Haïti. Son père avait essayé de la dissuader de faire cela, mais elle était restée ferme.

Après avoir envoyé l'argent, et après s'être fait la promesse de donner tout ce qu'elle pouvait chaque année, elle s'était remise à dormir normalement à nouveau. Mais même aujourd'hui, quand elle repensait aux petits visages misérables de ces fillettes, elle ne pouvait s'empêcher de pleurer. Cette année-là, elle avait pris la résolution qu'un jour elle irait à Haïti, qu'elle trouverait ces enfants et qu'elle les sortirait de cet enfer.

À ton avis, les réactions de Karine, après avoir vu le documentaire, étaient-elles raisonnables ou exagérées? Discute de cette question en groupe.

Sa famille voulait qu'elle choisisse une carrière prestigieuse, en droit ou en commerce. Mais Karine, l'image de ces fillettes toujours dans la tête, a travaillé dans une garderie, s'est inscrite en sciences sociales à l'université et a suivi des cours sur le Tiers-Monde, et a lu tout ce qu'elle pouvait sur Haïti. Elle a même, malgré la résistance de ses parents, commencé un cours de créole. Ses parents ont refusé de payer des leçons si « inutiles », et Karine a payé elle-même avec l'argent qu'elle avait gagné à la garderie. Quand elle a entendu dire que l'université allait envoyer une équipe de volontaires à Haïti, elle était la première à s'y inscrire.

Retour en arrière

- Comment était l'enfance de Karine? Comment a-t-elle réagi? Qu'est-ce qui a fait naître son intérêt pour Haïti? Comment ses parents ont-ils réagi?

Regard sur l'avenir

- À ton avis, comment les parents de Karine réagiront-ils à sa décision d'aller à Haïti?

Réflexion

- Relis le chapitre. Qu'as-tu remarqué à la deuxième lecture que tu as manqué à la première?

Chapitre

6

Je veux aller à Haïti!

Quel drame à la maison!

> Qu'est-ce qui a provoqué le drame chez Karine? À ton avis, comment ce drame se déroulera-t-il?

- Es-tu folle? a demandé son père. Je t'ai tout donné, tu as une belle vie ici, une vie idéale! Tu vas rejeter tout ce que j'ai fait pour toi pour aller vivre dans un lieu dangereux et insalubre?

- Je vais perdre ma petite fille! Tu vas attraper une terrible maladie! On va t'attaquer! J'ai vu ce qui se passe là-bas! Je l'ai vu à la télé! Oh, ce n'est pas vrai!

Les pleurs de sa mère ont fait place à la colère.

– Tu n'es qu'une ingrate, une ingrate! s'est-elle écriée. Après tout ce que nous avons fait pour toi! Tu n'as jamais apprécié nos efforts, jamais! Tu ne nous aimes pas!

Qu'est-ce que tu conseillerais aux parents de Karine?

Karine a répété pendant des heures qu'elle aimait ses parents, qu'elle appréciait tellement ce qu'ils avaient fait pour elle. Finalement, quand tout le monde était sur le point d'exploser de colère, de tristesse et d'épuisement, Karine a trouvé les mots pour convaincre ses parents qu'elle avait pris la bonne décision.

– Maman, papa, a-t-elle dit, vous avez tant travaillé pour moi et le reste de la famille! Vous m'avez donné le meilleur exemple de ce qu'une bonne personne, un adulte responsable, devrait être! Et maintenant que je suis une adulte moi aussi, je voudrais suivre le bon exemple que vous m'avez donné, et travailler pour les autres! Pour le moment, il n'y a personne ici, dans la famille, qui a besoin de mon aide, et, comme vous, je crois que je dois absolument aider! Alors, cette année, je vais aider les Haïtiens. Et, un jour, quand vous aurez besoin de moi, je vous aiderai aussi!

Son père l'a regardée, les larmes aux yeux, mais il n'avait plus l'air enragé.

– Oh, ma chérie! Décidément, tu sais présenter tes arguments! Je vois bien que tu feras ce que tu as à faire, et... peut-être que... un peu... je... eh bien, tu as peut-être raison.

Sa mère a éclaté en sanglots encore une fois, mais, après quelques minutes, elle a dit :

– Bon, bon, alors, je vois bien qu'il n'y a pas de solution, je dois me séparer de toi! Mais ce n'est que pour une année! Une année seulement! Tu me le promets? Et je m'inquiéterai pour toi pendant toute l'année! J'ai peur qu'il ne t'arrive quelque chose d'horrible là-bas! Alors, tu me promets, juré, craché, une année seulement, et puis tu reviendras vers nous, d'accord?

Karine a promis. Elle a embrassé ses parents en répétant sa promesse, et en disant :

– Ne vous inquiétez pas, je vous assure qu'il ne m'arrivera rien de grave!

Elle était partie au son des « Bon voyage! » et des « Nous t'aimons! » de toute la famille, mais elle savait que, malheureusement, ses parents allaient s'inquiéter. Elle devrait constamment les rassurer!

Retour en arrière

- Comment Karine a-t-elle réussi à convaincre ses parents?

Regard sur l'avenir

- Est-ce qu'il arrivera quelque chose de grave à Karine à Haïti? Quoi?

Réflexion

- Quelles stratégies de lecture t'ont été utiles en lisant ce chapitre?

Chapitre 7

L'arrivée

On était enfin arrivé! L'avion a atterri, et Karine et Antoine sont descendus rapidement. Ils ont vu une pancarte sur laquelle était écrit : « Aéroport Toussaint-Louverture » et Antoine a souri.

À ton avis, que vont découvrir Karine et Antoine en arrivant à Haïti?

– Regarde! a-t-il dit, c'est mon aéroport!

Karine a trouvé ça drôle. Elle aimait le sens de l'humour irrésistible d'Antoine.

Ils ont pris leurs bagages et sont sortis à la recherche du médecin chez qui ils allaient vivre. Il leur avait écrit dans un courriel qu'il allait les attendre à l'aéroport. Et il était

Regarde les mots de l'homme. À ton avis, qu'est-ce qu'il dit?

là. Un grand homme mince, qui tenait un grand carton sur lequel était écrit : « Antoine et Karine » Il avait l'air fatigué, mais son sourire était accueillant.

– *Bonjou!* a-t-il dit, leur serrant la main. *Komon ou ye?*

Pendant une seconde, ils ne savaient pas quoi répondre, et puis ils ont reconnu l'expression, qui voulait dire « Comment ça va? » en créole. Antoine, qui s'est souvenu de ses leçons, a répondu « *N'ap boule! N'ap boule!* » (Très bien!) Et Karine s'est dépêchée de dire « *N'ap boule, mesi!* »

Pourquoi le docteur Préval est-il content que les deux Canadiens parlent un peu le créole?

– Excellent! a dit l'homme en riant. Vous parlez déjà un peu le créole! Ça va être très utile! Oh, à propos, peut-être que vous l'avez déjà deviné, mais je suis votre hôte, Maurice Préval. Bienvenue à Haïti!

Ils sont sortis dans la rue avec leurs bagages. Comme il faisait chaud! Le soleil brillait, et il y avait des palmiers et des fleurs! La rue était pleine d'autobus et de voitures, toutes décorées de tant de couleurs que Karine s'est exclamée sur la beauté de la scène.

– Oui, a dit le docteur Préval, ce sont des camionnettes et des tap-tap. Les tap-tap sont le meilleur moyen de voyager en ville si on n'a pas beaucoup d'argent, mais ils ne sont pas très confortables! Les sièges sont durs, et les chauffeurs attendent qu'il y ait assez de monde pour un voyage. Ils partent seulement quand c'est rempli. Si on demande combien de passagers on peut mettre dans un tap-tap, la réponse est toujours : « Un de plus! »

Dresse une liste des avantages et des inconvénients de voyager en tap-tap. Aimerais-tu voyager en tap-tap au moins une fois? Pourquoi?

Antoine et Karine ont ri de la plaisanterie. Ils aimaient déjà le docteur! Ils ont retrouvé sa voiture, non sans difficulté, parce qu'il y avait du monde partout. Puis ils se sont mis en route vers Pétionville, la banlieue de Port-au-Prince où le docteur Préval habitait avec sa famille.

– Vous allez trouver que Pétionville est très différente des endroits où vous allez travailler, a expliqué le docteur. C'est la région la plus riche d'Haïti, et beaucoup de maisons sont grandes et belles. Moi, vous savez, je ne suis pas riche, mais ma vie est beaucoup plus confortable que celle de la plupart de mes pauvres compatriotes. Quelquefois, je me suis demandé si je ne devrais pas habiter plus près de mon travail, dans un quartier plus typique, mais je dois penser aussi à la sécurité de ma famille. Je peux travailler plus fort parce que je n'ai pas à m'inquiéter pour ma femme et mes trois enfants. Alors ça vaut la peine de devoir faire le trajet tous les jours. Vous allez voir, nous allons devoir traverser Port-au-Prince. Pétionville est de l'autre côté de la ville.

Explique pourquoi le docteur Préval a décidé d'habiter dans le quartier riche.

- C'est loin de la maison, alors, où nous allons travailler? a demandé Antoine. Est-ce que nous allons prendre un autobus pour nous rendre au travail?

- Pour toi, bien sûr que non, a répondu le docteur, ce serait trop dangereux d'aller à Martissant tout seul, surtout au début.

Les yeux d'Antoine se sont agrandis, et il a senti la peur remonter en lui.

- Tu voyageras avec moi en voiture. Et Karine voyagera avec Mlle Clarine Dominique, qui habite avec nous, et qui est infirmière à l'Hôpital Maternité Solidarité.

Antoine et Karine ont soupiré de soulagement! Ce serait plus facile comme ça!

- Plus tard, a continué le docteur, vous pourrez vous déplacer en autobus ou en tap-tap en ville, mais Antoine, je te déconseille d'entrer à Martissant tout seul. On t'identifierait immédiatement comme un *blan!*

– Un blanc? a demandé Antoine, étonné. Mais, monsieur, je ne suis pas du tout...

Le docteur, qui avait parlé d'un ton très sérieux, s'est mis à rire, et son visage s'est détendu.

Explique la confusion que ressent Antoine.

– Oh, désolé, j'ai oublié que tu ne savais pas! Ici, un « *blan* » est un étranger. Même nos collègues africains se voient traités de « *blan* » dans la rue. Tu devrais voir leur tête quand ils entendent ça!

Retour en arrière

- Quelle est la différence principale entre les quartiers de Martissant et de Pétionville? Pourquoi est-ce qu'Antoine connaîtra les deux quartiers?

Regard sur l'avenir

- À ton avis, Antoine aura-t-il le courage de voyager seul dans la ville?

Réflexion

- Essaie de visualiser ce qu'Antoine et Karine voient de la voiture. Comment est-ce que la visualisation t'aide à comprendre le chapitre?

Les deux visages du pays

Comment était Port-au-Prince près de l'aéroport?

Maintenant le docteur Préval a dû arrêter de parler, parce que la route était devenue raboteuse et trouée. Près de l'aéroport, il y avait des arbres, des fleurs, des routes bien entretenues et des bâtiments assez récents. Mais tout à coup, en s'approchant du centre-ville de Port-au-Prince, Antoine et Karine ont vu un paysage complètement différent. Karine regardait à droite, et elle a poussé un cri d'horreur.

– Mais... mais qu'est-ce que c'est? Là-bas, il y a des maisons entourées d'ordures! Il y a des petites filles qui montent sur des tas d'ordures!

C'était comme dans l'émission qu'elle avait vue dix ans auparavant. Les petites filles portaient des jupes jaunes bien propres, elles avaient des rubans jaunes dans leurs cheveux soigneusement tressés, mais elles marchaient en file sur des tas d'ordures, entre des marais boueux d'eau et de déchets. Une odeur nauséabonde est entrée par les vitres ouvertes de la voiture, une odeur de crasse et de fruits pourris.

À ton avis, pourquoi le docteur Préval a-t-il pris cette route?

– Ah, oui, a dit le docteur Préval d'un air triste et fatigué, nous sommes près de Cité-Soleil, un de nos bidonvilles les plus pauvres. Ces petites filles vivent probablement dans de très mauvaises conditions, sans système d'eaux usées, sans électricité, mais leurs parents essaient de s'assurer, non sans difficulté, qu'elles aillent à l'école. Leur uniforme est probablement leur seul vêtement propre et intact. Vous ne pouvez pas imaginer les sacrifices que font les parents pour envoyer leurs enfants à l'école! Même si c'est seulement pour un ou deux ans. Quelquefois, les gens mangent très peu pour avoir assez d'argent pour payer les frais scolaires et l'uniforme. À Haïti, l'éducation est le seul moyen de sortir du bidonville, alors elle est très valorisée.

Karine a regardé Antoine, pâle, les larmes aux yeux.

– C'est comme dans mon cauchemar. C'est exactement comme ce mauvais rêve, a-t-elle dit tout bas.

Antoine est resté bouche bée, muet devant la scène horrible qui s'étendait sous leurs yeux. Il y avait des maisons faites de boîtes de conserve et de carton, des cabanes toutes petites et rabougries, qui hébergeaient dix ou douze personnes. Il a vu des hommes émaciés, des enfants presque nus, le ventre gonflé, signe de malnutrition. Il a vu des femmes pieds nus, fouillant dans des tas d'ordures pour trouver quelque chose à manger, à vendre. Il avait lu, entendu, vu tout ça au Canada, mais la réalité qui se présentait à lui aujourd'hui était pire que tout ce qu'il avait imaginé. Tout ce qu'il trouvait à dire était : « Ils… Ils sont… tout le monde est très mince, et… »

– Oui, il est vrai qu'à Haïti, généralement, on est assez mince. Les personnes obèses sont très rares, a répondu gentiment le docteur, qui comprenait très bien le choc qu'ils éprouvaient.

Antoine le regardait, le regard troublé. Il se sentait comme si on venait de le réveiller avec une douche d'eau froide et puante. À côté de lui, Karine pleurait sans bruit; les larmes coulaient sur son visage et trempaient sa chemise bleue. Antoine a pris sa main, et elle l'a regardé, les yeux brillants de larmes. Ils se communiquaient leur détresse sans parler.

Si Karine réagit ainsi, pourra-t-elle travailler dans un hôpital pour les pauvres? Explique ta réponse.

Après quelques minutes, ils ont laissé derrière eux Cité-Soleil, et ils ont commencé à traverser des quartiers avec des maisons plus propres, mieux construites, avec des jardins et, quelquefois, des voitures devant. Le docteur leur a indiqué quelques bâtiments publics, des restaurants, des centres commerciaux. Mais il y avait encore beaucoup de zones très pauvres, de maisons faites de toutes sortes de matériaux. Il y avait trop de mendiants dans la rue. Dans quelques parties de la ville, chaque fois qu'ils devaient s'arrêter, ils étaient entourés d'enfants qui demandaient de l'argent, leurs petites mains sales tendues vers la voiture.

Même les beaux environs de Pétionville ne pouvaient pas chasser de leur esprit ce qu'ils avaient vu.

Retour en arrière

- Comment Karine et Antoine ont-ils réagi à la vue de Cité-Soleil?

Regard sur l'avenir

- À ton avis, comment les deux amis vont-ils s'habituer aux conditions de vie à leur travail?

Réflexion

- Dresse une liste des bruits, des odeurs et des images qui t'ont impressionné(e) dans ce chapitre.

La nouvelle maison

Peu à peu, les deux amis ont commencé à se calmer. Le docteur leur a parlé de sa famille, de sa femme, Rosemène, du jardin, du football, de la musique. Et bientôt, le joli paysage, en approchant de Pétionville, les arbres tropicaux et les belles maisons victoriennes ont capté leur intérêt. Karine a cessé de pleurer, et Antoine a recommencé à parler naturellement. Ils n'allaient jamais oublier ce qu'ils avaient vu, et maintenant, leur détermination à aider était encore plus forte. Mais ils savaient que, pour le moment, il n'y avait rien à faire.

Décris ce qui a bouleversé Karine et Antoine lors de la traversée de Port-au-Prince.

À Pétionville, Antoine et Karine ont été accueillis avec chaleur par la famille Préval, les deux domestiques et

Clarine Dominique. Ils se rendaient compte qu'il était possible de se sentir encore heureux! Désiré et Maxime, les fils des Préval, et Florence, leur fille, sont venus les accueillir devant la maison, une jolie maison blanche et rose entourée d'arbres, avec un portail en fer. On les a conduits à leurs chambres, qui avaient de hauts plafonds avec un ventilateur et des lits blancs en bois. Chaque lit était entouré d'une moustiquaire, et les pieds des lits étaient placés dans des bols d'eau, pour noyer les insectes.

Quel bruit joyeux que celui de cette famille! Chaque personne a dit, cinq ou six fois : « *Bonjou! Komon ou ye?* » Le docteur, voyant la confusion des jeunes gens, a expliqué : « C'est la coutume! On passe beaucoup de temps à se saluer avant d'entreprendre la conversation! »

Et puis, tout le monde a commencé à poser des questions! Désiré et Maxime tenaient les mains d'Antoine et parlaient fort, et la petite Florence, un peu timide, tirait sur le pantalon de Karine pour attirer son attention. Les domestiques, Annie et Bertonie, expliquaient en gesticulant qui allait être dans quelle chambre, et pourquoi. Finalement, Rosemène Préval, une très belle femme avec un doux sourire chaleureux, a crié : « En voilà assez! S'il vous plaît! Laissez-les se reposer un peu! Vous pourrez leur parler au dîner! » Elle a chassé tout le monde du corridor pour que Karine et Antoine puissent défaire leurs bagages.

Plus tard, ils sont descendus dîner. Il était deux heures et demie de l'après-midi, mais ils savaient que les Haïtiens mangeaient normalement leur plus gros repas vers cette heure. Et quel repas! Mme Préval avait fait préparer toutes sortes de plats de fête pour ses invités. Beaucoup de poisson et de viande, cuits avec des épices, du riz, de l'ail et des poivrons. Des jus de fruits frais délicieux. Des fèves en sauce épicée, qu'ils appelaient des *pois*. Et comme dessert, de délicieux pains sucrés à la cannelle, appelés *piene patte*.

Que penses-tu de la coutume de prendre le plus gros repas vers deux heures de l'après-midi?

Tout le monde a ri quand Annie, une des domestiques, a offert un bol de sauce à Karine, disant : « Voudriez-vous un peu de *ti malice*, mademoiselle? »

Mme Préval a essayé de dire : « Hé! Attention! Je ne pense pas que... », mais Karine avait déjà commencé à goûter à la sauce, qui était faite de piments très forts! Tout le monde a éclaté de rire en voyant le visage de Karine devenir rouge comme une tomate, et Annie s'est dépêchée de lui donner un verre de lait, disant : « Oh! Mademoiselle, je regrette tellement! »

Même Karine a fini par rire, après avoir suivi tous les conseils qu'on lui donnait.

Aimes-tu les mets ou les sauces épicés? Donne un exemple.

– Aïe! a-t-elle dit, j'aime la cuisine épicée, mais ça c'est vraiment trop fort pour moi! Je comprends pourquoi on l'appelle *malice!*

Antoine se sentait tout à coup complètement à l'aise. La grande famille qui parlait tout le temps, la bonne cuisine, la belle maison entourée d'arbres – c'était exactement comme dans les histoires de sa grand-mère. Après le dîner, lui et Karine ont joué avec les trois enfants. La timidité de Florence avait disparu, et elle est allée chercher ses jouets pour les montrer à Karine, pendant que les garçons jouaient au football avec Antoine dans le jardin.

Bientôt, c'était l'heure d'aller se coucher pour les enfants, et, après un petit souper, Antoine et Karine sont montés aussi, fatigués de leur voyage et de toutes les émotions vécues pendant la journée. Ils étaient tellement contents de leur nouvelle famille! Quel contraste entre la pauvreté qu'ils avaient vue, et la chaleur et le confort qui régnaient ici! Antoine a pensé encore une fois qu'Haïti avait vraiment deux visages.

Mais une fois au lit, malgré leur fatigue, les deux jeunes avaient de la difficulté à s'endormir. Le lendemain ils allaient commencer leur travail! Et ils savaient trop bien que le milieu où ils se trouveraient serait très différent de Pétionville. Demain, ils verraient de nouveau l'autre visage d'Haïti.

Retour en arrière

- Comment Karine et Antoine ont-ils été accueillis chez le docteur Préval?
- Qu'est-ce que Karine a appris pendant le repas?

Regard sur l'avenir

- Quelle sorte d'accueil attend les deux Canadiens le lendemain?

Réflexion

- Quelles stratégies de lecture te sont les plus utiles?

Le travail commence

Quelle réalité attend Karine et Antoine?

Le lendemain matin, tout le monde s'est levé de bonne heure, parce que le travail commençait à sept heures et demie. Presque immédiatement, Karine et Antoine ont vu un peu plus de la triste réalité d'Haïti. Le docteur leur a expliqué qu'il ne fallait pas utiliser beaucoup d'eau pour se laver, qu'il fallait essayer de préserver l'eau parce que, quelquefois, le système d'eau ne marchait pas. Il leur a dit que Port-au-Prince et ses banlieues n'avaient jamais assez d'eau pour répondre aux besoins de la population. Il les a avertis aussi que l'électricité était fréquemment coupée. Karine et Antoine se sont rendu compte que la vie ici serait très différente de ce à quoi ils étaient habitués au Canada! Fini les longues douches relaxantes et les heures passées à jouer à des jeux électroniques. Mme Préval a même expliqué à Karine que, malgré ce qu'on lui avait dit au Canada, elle n'allait pas pouvoir utiliser son sèche-cheveux, parce qu'il causerait un court-circuit.

Comment réagirais-tu aux consignes des Préval?

Antoine est monté dans la voiture du docteur, et Karine dans celle de Mlle Dominique. Elle aimait beaucoup cette jeune femme, qui était sympathique et souriante. Mlle Dominique a expliqué qu'elle vivait avec les Préval parce qu'elle n'avait pas de famille à Port-au-Prince, que sa famille vivait à Cap-Haïtien, au nord, et qu'elle était la cousine d'une amie de Mme Préval. Elle a aussi dit à Karine qu'elle pouvait l'appeler Clarine à la maison, mais qu'au travail on serait plus formel. Karine serait Mlle Lacasse ou Mlle Karine. Les deux jeunes femmes ont ri ensemble de l'idée d'avoir une Mlle Karine et une Mlle Clarine dans le même hôpital!

Après avoir quitté Pétionville, les deux voitures se sont retrouvées encore une fois sur des routes trouées et défoncées. Le docteur essayait d'éviter les trous, mais il ne pouvait pas tous les contourner, et Antoine sautait sur son siège comme un grain de maïs soufflé! Il pouvait voir derrière eux, dans la voiture de Mlle Dominique, Karine rebondir sur son siège. Sa tête résonnait au son des klaxons – ceux des autres conducteurs et celui du docteur. Tout le monde semblait utiliser son klaxon au lieu de signaler, même le docteur. Et il ne semblait pas du tout mal à l'aise! Ça semblait tout à fait normal.

En entrant dans le centre-ville de Port-au-Prince, le docteur est passé par le Champ de Mars, le plus grand et le plus beau parc de la ville, et a montré à Antoine beaucoup de bâtiments imposants et élégants, dont le Musée d'art haïtien et le Musée du panthéon national. Ils ont même vu la statue de Toussaint Louverture, juste un moment! Le docteur a dit, voyant l'émoi sur le visage d'Antoine : « Ne t'inquiète pas, on reviendra, et on en fera le tour! »

Au Champ de Mars, la voiture de Mlle Dominique a tourné pour aller prendre la rue Magny jusqu'à l'hôpital. Karine a envoyé la main à Antoine, qui pouvait voir son visage déterminé et un peu tendu. Lui aussi, il se sentait nerveux!

Bientôt, ils sont arrivés à Martissant, où se trouvait la clinique d'urgence de Médecins Sans Frontières. C'était la même chose que la veille. Des cabanes faites de carton et de métal rouillé. Des flaques d'eau sale entourées de déchets. Des visages désespérés. À quelques reprises, Antoine a vu de la violence, et même de la haine, sur un visage. Le docteur a arrêté la voiture pour s'identifier auprès des policiers de la MINUSTAH, l'organisation des Nations Unies chargée de surveiller le bidonville, et Antoine a senti son estomac se nouer. En donnant son nom et en montrant son passeport, il lui a semblé que ses mains tremblaient et que sa voix était rauque.

Fais des recherches sur Médecins Sans Frontières. Présente les résultats de tes recherches à ton groupe.

La voiture a poursuivi son chemin, non sans difficulté. Il y avait tant de personnes qui marchaient dans la rue! Tant de femmes, les *madames saras*, qui offraient des marchandises qu'elles portaient sur leurs têtes, tant d'enfants qui mendiaient!

Finalement ils sont arrivés à la clinique, un bâtiment en ciment et en métal, le plus grand du quartier, où presque toutes les maisons avaient une seule pièce. Il y avait déjà une file de gens malades et de blessés devant la clinique, et le docteur Préval s'est dépêché d'entrer.

Une fois à l'intérieur, il a présenté Antoine aux médecins et aux infirmières, et a expliqué qu'au début Antoine allait être garçon de salle et qu'il aiderait un autre garçon de salle, Hyacinthe Jean, à transporter les patients et les

équipements. Hyacinthe parlait français, alors il pouvait aider Antoine à comprendre. Mais Antoine savait très bien qu'une bonne partie de sa journée se déroulerait en créole! Autour de lui, il ne pouvait entendre parler que le créole. Hyacinthe, après les cinq ou six « *Bonjou! Komon ou ye? M rele Hyacinthe!* » obligatoires, a écouté le « *Anchante!* » timide d'Antoine et a tout de suite dit : « *Ann ale!* » (Allons-y!)

À ton avis, Hyacinthe sera-t-il content qu'Antoine travaille à la clinique?

Les deux jeunes hommes se sont dirigés vers la salle d'attente, une grande salle en ciment usé avec des bancs en métal, déjà pleins de gens souffrants. Un médecin, un grand homme ivoirien qui s'appelait le docteur Drogba, leur a dit : « Vite, vite! On a besoin de vous, monsieur Jean et monsieur Cyprien! » Devant lui, un homme était couché sur le sol, couvert de sang. Une femme agenouillée à ses côtés pleurait et criait. Antoine ne comprenait pas ce qu'elle disait, mais Hyacinthe lui a dit tout bas, en prenant un brancard dans une armoire : « La nuit a été difficile. Elle crie qu'il y a eu une bataille hier soir, et que quelqu'un a tiré sur son mari. Il a trois balles dans le corps! *Ann ale!* »

Antoine s'est dépêché d'aider Hyacinthe à lever le pauvre homme et à le porter jusqu'à la salle d'opération. Comme c'était difficile de le transporter! Le pauvre homme hurlait de douleur, et le sang coulait de ses plaies sur les mains gantées et les vêtements d'Antoine. L'odeur âcre du sang remplissait ses narines et il avait mal au cœur. Mais il ne pouvait pas être malade ici! Alors il s'est forcé à continuer, ravalant sa nausée, sa pitié et sa peur.

Pourquoi Hyacinthe n'a-t-il pas les mêmes réactions qu'Antoine?

Il a dû revenir immédiatement dans la salle d'attente avec Hyacinthe pour un autre patient, une femme qui avait reçu une balle dans le ventre. Il y avait un trou et on pouvait voir ses intestins! La tête d'Antoine s'est mise à tourner, mais il a serré les dents. Puis on leur a demandé de transporter un autre patient. Et un autre. Et un autre. Et un autre encore. Ses bras lui faisaient mal, il transpirait abondamment, il était couvert de sang, mais il ne pouvait pas arrêter. Il y avait tant de patients! La file semblait sans fin! Et la violence était inouïe! Des hommes et des femmes, et même des enfants, sur lesquels on avait tiré ou qu'on avait battus! Une femme sur le point d'accoucher et qui saignait, pleurait, criait! Un petit garçon avec une forte fièvre qui avait des convulsions.

Après le petit garçon, il y a enfin eu une pause. Hyacinthe a expliqué à Antoine qu'ils devaient se laver et changer d'uniforme.

– Il avait peut-être la fièvre typhoïde ou la malaria, ce pauvre petit. Même les gants ne nous protègent pas entièrement, il faut nous désinfecter.

Ils sont allés se laver, se changer, boire un peu d'eau, prendre un petit goûter. Mme Préval avait préparé une boîte à lunch pour Antoine avec des fruits, du jus et du pain.

– Est-ce que c'est toujours aussi occupé ici? a demandé Antoine, essuyant son visage avec ses mains qui tremblaient.

Hyacinthe a souri et lui a donné une tape sur l'épaule.

– Ne t'inquiète pas! Tu vas t'y accoutumer! OK, *prese, prese!* (Dépêche-toi!) On doit retourner au travail!

Et ils se sont remis au travail.

À ton avis, Antoine va-t-il s'habituer à son travail à la clinique? Explique ta réponse.

À la fin de la journée, à trois heures et demie, Antoine était si fatigué qu'il ne pouvait plus se tenir debout. Le docteur Préval est venu le chercher et Antoine a dit, avec un grand effort :

– *Mesi anpil* (Merci beaucoup), Hyacinthe! *Bonswa!*

– *M pal pi mal!* (Pas mal!) a répondu Hyacinthe, avec un grand sourire. Tu vas parler le créole très bientôt! Et tu as bien travaillé! *Bonswa!*

Il semblait aussi frais et dispos qu'à sept heures et demie!

En suivant le docteur à la voiture, Antoine se demandait s'il pourrait jamais travailler comme Hyacinthe et rester joyeux. Les images terribles de sa journée trottaient dans sa tête, ses muscles lui faisaient mal, et il avait une faim de loup. Mais aussi, il se sentait soulagé parce que, maintenant, il savait qu'il pouvait vraiment aider et faire une différence. Il pouvait travailler même quand il avait peur et mal au cœur! Il en était capable!

Retour en arrière

- Comment a été la première journée de travail pour Antoine?

Regard sur l'avenir

- À ton avis, comment s'est passée la première journée de travail de Karine?

Réflexion

- Comment est-ce que tes expériences personnelles de travail t'ont aidé(e) à comprendre ce chapitre?

Chapitre 11

La journée de travail de Karine

Pourquoi Karine n'est-elle pas allée avec Antoine?

Pour Karine, l'arrivée à l'hôpital avait été moins stressante que pour Antoine. L'Hôpital Maternité Solidarité se trouvait dans un quartier situé près du Champ de Mars, dans un cul-de-sac où il y avait des arbres et des jardins, et un autre hôpital tout près. L'hôpital, assez petit, était fait de ciment peint en vert, jaune et bleu.

En arrivant, Karine s'est vêtue d'un uniforme frais et propre, et Mlle Dominique a fait une tournée des lieux avec elle pour lui montrer la pharmacie, le laboratoire, la garderie et les 75 lits. Tout était très propre, mais Karine a pu voir que la plupart des meubles étaient vieux, et qu'il n'y avait pas autant d'infirmières, de médecins et d'équipements que dans un hôpital nord-américain.

Pourquoi Karine est-elle plus chanceuse qu'Antoine?

Les médecins et les infirmières ont accueilli Karine aussi chaleureusement que les Préval. Les Haïtiens qu'elle rencontrait étaient si joyeux et si souriants! Ils n'avaient pas l'air stressé des Nord-Américains, malgré les conditions difficiles dans lesquelles ils travaillaient.

Karine a bientôt compris que, malgré la belle ambiance qui régnait dans l'hôpital, la journée allait être longue et fatigante, et que beaucoup de situations tristes ou difficiles se présenteraient. Une fois les présentations faites, elle s'est rendue dans la salle d'attente avec Mlle Dominique. Elle allait l'aider dans son travail, ainsi que les autres professionnels sur place, en faisant toutes sortes de petites tâches. Il y avait tant de patients dans la salle d'attente! Elle était pleine à craquer, et une des infirmières leur a dit que la file continuait dehors. Pendant qu'elles s'approchaient de la première patiente, Mlle Dominique a expliqué à Karine que les soins obstétriques offerts à Port-au-Prince n'étaient pas du tout suffisants pour la population, et que la Maternité Solidarité avait aidé à mettre au monde presque quarante mille bébés depuis 2006!

Karine a suivi Mlle Dominique et un brancard portant une femme sur le point d'accoucher qui hurlait et se tordait de douleur. Karine se sentait jeune et stupide, et un peu inutile. Que pouvait-elle faire? Mais immédiatement, Mlle Dominique lui a dit : « Karine, ses enfants ne devraient pas voir ce qui va se passer! Amène-les à la garderie, et donne-leur quelque chose à manger! »

Karine s'est rendu compte que deux enfants de pas plus de quatre ou cinq ans suivaient le brancard! Les pauvres petits! Ils avaient peur et pleuraient. Karine a compris tout à coup qu'il n'y avait personne pour s'occuper des enfants pendant que leur mère accouchait.

Le cœur gonflé de pitié, elle s'est agenouillée devant les enfants, a mis ses bras autour de leurs petites épaules et s'est efforcée de leur parler tout doucement, de trouver des mots en créole pour gagner leur confiance.

– *Rete, rete, tann* (Arrête, attends), a-t-elle dit d'un ton calme. On va aider ta maman! On va la soigner! Viens avec moi, on attendra.

Mlle Dominique a répété les mêmes mots en créole, et elle a dit aux enfants que Karine allait leur donner à manger. Finalement, le garçon, qui semblait être le plus jeune, a mis sa main dans celle de Karine en reniflant et l'a regardée.

– *Ki jan ou rele?* (Comment t'appelles-tu?) a demandé Karine. *Ou vle manje?* (Veux-tu manger?)

– *M rele Félix*, a-t-il répondu, avec un délicieux sourire. *Mwen grangou!* (J'ai faim!)

Après ça, il était facile de gagner la confiance de Félix et de sa sœur, et Karine a passé une heure avec eux.

Elle sentait revenir sa confiance. Même dans une autre langue, elle savait très bien se débrouiller avec deux petits enfants. À la fin de l'heure, une infirmière est arrivée avec une voisine qui allait prendre soin d'eux, et a annoncé aux enfants qu'ils avaient une nouvelle petite sœur. Karine était heureuse d'apprendre que la mère et le bébé se portaient bien.

Pourquoi Karine avait-elle confiance en elle en s'occupant des enfants?

Karine a quitté la garderie et est retournée dans la salle d'attente. C'était le chaos! Des garçons de salle mettaient une femme enceinte sur un brancard. Elle poussait des cris horribles! Sa jupe et ses mains étaient tachées de sang, et sa famille, un homme et quatre ou cinq enfants, pleurait et criait autour d'elle. Karine a pu comprendre suffisamment ce qu'ils disaient pour savoir que le bébé était sur le point de naître. Mlle Dominique a vu Karine et est rapidement venue vers elle.

– Karine, a-t-elle dit, on a besoin de toi. Il n'y a pas assez de mains ici! Cette femme aurait dû avoir une césarienne, mais on n'a plus le temps! Va dire au docteur Leyrins qu'on aura besoin d'une transfusion, qu'il apporte tout son équipement!

Karine a couru avertir le docteur et a mis des gants et un masque pour l'aider à transporter son matériel. Ils sont entrés dans une salle où une équipe essayait d'aider la pauvre femme, qui se tordait de douleur en criant sur une table.

Karine n'avait jamais vu de si près une femme qui donnait naissance. Elle n'avait jamais imaginé tant de douleur! Ni tant de sang! Quelque chose n'allait pas bien! La pauvre femme saignait trop. Des rivières de sang coulaient sur le plancher de la salle. Le médecin et Mlle Dominique avaient l'air préoccupé, et Mlle Dominique consultait continuellement les machines qui montraient les signes

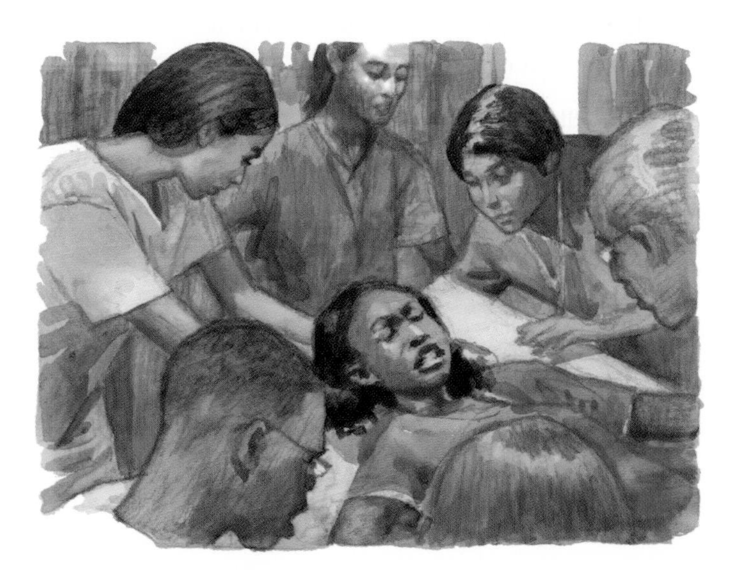

vitaux de la femme et de l'enfant. Tout à coup, il y a eu un grand mouvement convulsif sous les draps, et la femme a crié. Le bébé sortait! Karine pouvait voir son petit visage froissé entre les mains du médecin et l'entendre crier!

Karine allait pousser un soupir de soulagement, convaincue que tout allait bien. Mais, après avoir coupé le cordon, Mlle Dominique a passé le bébé à Karine, en disant : « Prends-le! Vite! » Karine a pris le petit corps tout chaud dans ses bras, admirant la petite bouche et les petites mains parfaites. Quel miracle! Mais un bruit de machine inquiétant a interrompu ses pensées. Elle a regardé la femme et elle a vu qu'elle avait le regard vide et que sa bouche était ouverte. Le médecin et Mlle Dominique travaillaient comme des fous, mais le sang coulait de plus en plus, recouvrant le plancher sous la table. Karine les regardait, bouche bée. Une grande peur s'était emparée d'elle.

Puis, elle a entendu le bruit plat et sonore de la machine! La femme n'avait plus de signes vitaux! Le sang continuait de couler abondamment. Après quelques minutes de travail acharné, Mlle Dominique et le médecin se sont arrêtés, soupirant de fatigue et d'amertume.

– Rien à faire! a dit le médecin. Oh, mon Dieu, rien à faire! Si seulement elle était arrivée hier! Ou si nous avions pu détecter les problèmes avant! C'est trop tard...

Il est parti, pendant que Mlle Dominique, les larmes aux yeux, couvrait le visage de la pauvre femme et fermait la machine.

Karine, rigide d'horreur, restait immobile. Le bébé a commencé à pleurer, mais elle n'entendait pas ses cris. La tête lui tournait. Elle s'est mordu la lèvre jusqu'à ce qu'elle saigne, et la douleur l'a empêchée de s'évanouir. Mlle Dominique a regardé son visage pâle, en sueur, et l'a prise gentiment par le bras.

– Oui, je sais, a-t-elle dit, c'est terrible. Terrible! Il y a bien trop de femmes qui meurent, que nous ne pouvons pas sauver. Si elle était venue nous voir pour des conseils pré-nataux, si elle n'avait pas donné naissance à cinq bébés dans cinq ans… mais, inutile d'imaginer. Viens, on doit mettre le petit dans la garderie. Et… et on doit le montrer à son père qui attend.

Pendant le reste de la journée, alors qu'elle s'occupait des enfants, transportait des draps, apportait de l'eau et de la glace aux femmes qui étaient en train d'accoucher, Karine ne pouvait arrêter de penser au visage hagard du pauvre père. Il avait pris son bébé dans ses bras, et les larmes avaient coulé sans retenue sur son visage. Ses enfants pleuraient autour de lui. La famille était dévastée. Qui allait s'occuper des enfants? Comment allaient-ils vivre?

Elle s'est rendu compte que la vie ici était bien plus difficile que ce qu'elle avait imaginé.

Retour en arrière

- Comment a été la première journée de travail de Karine? Qu'est-ce qui a fait la plus forte impression sur elle?

Regard sur l'avenir

- Karine pourra-t-elle continuer à travailler à l'hôpital? Justifie ta réponse.

Réflexion

- As-tu essayé de visualiser les scènes à l'hôpital? Comment la visualisation t'aide-t-elle à comprendre ce que tu lis?

S'accoutumer au travail

Comment se sentent Karine et Antoine à la fin de leur première journée de travail?

Après être rentrés à Pétionville, Karine et Antoine étaient morts de fatigue. Ils ont mangé le bon dîner que Mme Préval avait préparé pour eux, mais presque en silence. Désiré les a regardés, les yeux ronds.

- C'était un jour difficile au travail, alors? a-t-il demandé. Quelquefois mon papa a des jours comme ça! Mais vous allez bien?

- Oui, on est juste fatigués! a répondu Antoine, en s'efforçant de sourire. Moi, je n'ai jamais tant travaillé! Je me sens comme un vieil homme!

Il a fait rire Désiré en mettant ses mains dans son dos, et en poussant un grognement rauque de vieil homme.

Karine a essayé de rassurer le petit garçon elle aussi.

– Ne t'inquiète pas, Désiré! Oui, nous sommes juste très fatigués!

Elle a regardé Antoine avec affection. Quel bon gars! Il était toujours prêt à réconforter tous ceux qui en avaient besoin.

Après le dîner, Antoine et Karine sont sortis dans le jardin et se sont raconté leurs journées. Ça leur faisait du bien de pouvoir parler à quelqu'un qui comprenait! Quand Karine a raconté l'histoire de la pauvre femme morte en accouchant, elle a commencé à pleurer, et Antoine l'a prise dans ses bras. Mais elle s'est levée rapidement et a mis sa main sur son épaule, essuyant énergiquement ses larmes de l'autre main.

– Non! a-t-elle dit. Je te remercie, Antoine, mais je dois apprendre à me débrouiller sans pleurer tout le temps! On a besoin de nous, on a besoin que nous soyons adultes, et que nous aidions sans craquer et sans nous écrouler! Je dois trouver la force de faire ce que j'ai à faire! Toi aussi, tu as vu des choses épouvantables, et tu essaies de me consoler! Ce n'est pas juste de ma part. Tu es un ami vraiment super, et moi, j'ai honte de moi!

– Merci, Karine, a répondu Antoine, mais moi je me sens aussi faible que toi! Et tu as raison, on doit maintenant être le plus fort possible! Mais ce n'est pas un crime d'avoir des émotions; n'oublie pas que c'est à cause de ton empathie que tu es ici. C'est une de tes plus grandes qualités, et je t'admire pour ça!

Karine a essayé de le serrer dans ses bras. Il était si sympathique, Antoine! Mais il a dit, comme pour essayer de calmer leurs émotions : « Ouf! Attention! Ça me fait mal partout! Aïe! Mes bras! » Ils ont ri franchement, laissant enfin aller la tension, et sont rentrés à la maison. Demain, tout allait recommencer, et ils avaient besoin de repos! Mais ils se disaient tous les deux que c'était bon d'avoir un ami aussi près.

Les jours suivants, Karine et Antoine se sont accoutumés peu à peu à leur travail. Les muscles d'Antoine se sont durcis, et il a appris beaucoup à propos de la médecine. Il a aussi perfectionné son créole. Lui et Hyacinthe formaient une bonne équipe, qui pouvait transporter les patients, mais aussi les réconforter, et même faire quelques blagues. Très souvent le docteur Préval était surpris de voir arriver sur un brancard un patient qui riait faiblement des blagues des deux jeunes hommes! Karine aussi a beaucoup appris, et tout le monde à l'hôpital l'a félicitée de son habileté avec les enfants qui accompagnaient si fréquemment leur mère. Même les plus difficiles et les plus tristes faisaient confiance à Karine après quelques minutes, et son créole s'est vite amélioré.

Il était toujours difficile pour les deux Canadiens de voir tant de misère tous les jours. Antoine était choqué devant la brutalité de Martissant, les blessures qui résultaient de violence domestique, de querelles politiques, de disputes entre gangs. Il y avait trop de violence et de désespoir à Martissant! Même le docteur Préval se décourageait parfois.

De son côté, Karine était confrontée à beaucoup de situations terribles. Souvent, la naissance d'un enfant était un événement joyeux, surtout si le bébé et la mère allaient bien. On sauvait beaucoup de vies à la Maternité Solidarité! Mais il y avait aussi des tragédies, comme cette jeune fille de douze ans qui était arrivée un jour à l'hôpital, prête à accoucher. Mlle Dominique était tellement choquée!

– C'est un scandale! a-t-elle dit à Karine. La pauvre petite! On devrait arrêter, une fois pour toutes, cette coutume des *restaveks!* Il y a trop de jeunes filles comme elle, abusées par leurs maîtres!

Karine ne comprenait pas, et Mlle Dominique lui a expliqué que quelques familles offraient à des enfants pauvres un foyer si les enfants travaillaient pour eux. Quelquefois, c'était bien, et l'enfant recevait une éducation. Mais beaucoup de *restaveks* travaillaient comme des esclaves, et beaucoup de filles étaient abusées. Très souvent, quand elles devenaient enceintes, on les renvoyait avec leur bébé à la rue, où les pauvres filles n'avaient ni les moyens de survivre ni les connaissances nécessaires pour se débrouiller. Karine était de nouveau horrifiée. Elle s'était imaginé qu'elle avait tout vu à ce chapitre, mais elle savait maintenant que, malheureusement, il y avait encore des choses terribles à découvrir.

Tous les soirs, après le dîner, Antoine et Karine sortaient dans le jardin pour parler de leur journée. Ils savaient qu'ils pouvaient tout se dire, pleurer ou même exprimer ouvertement leur colère ou leurs frustrations. La force d'Antoine et son sens de l'humour aidaient Karine, et l'écoute et la compréhension de la jeune femme réconfortaient Antoine.

Retour en arrière

- Quelle décision Karine a-t-elle prise pour mieux travailler?

Regard sur l'avenir

- À ton avis, Karine et Antoine vont-ils continuer à être seulement des amis? Explique ta réponse.

Réflexion

- Qu'est-ce que tu trouves le plus facile à comprendre : un passage descriptif ou un chapitre où il y a de l'action?

Une visite à la plage

Après quelques semaines, Mme Préval a commencé à s'inquiéter.

– Maurice, a-t-elle dit à son mari, il n'est pas bon que ces pauvres jeunes voient seulement le pire de notre pays! Ils disent qu'ils sont trop fatigués pour sortir les jours de congé, mais je crois que nous devons les aider, leur montrer de choses plus joyeuses, ou ils feront une dépression! Ils nous ont accompagnés à l'église, et ils ont participé à nos *bambouches* (des réunions ou des fêtes de famille et d'amis) les samedis soirs, mais ce n'est

Que font Karine et Antoine tout le temps? Pourquoi est-ce qu'ils ne s'arrêtent pas pour s'amuser?

pas assez pour des jeunes! Ils travaillent tant, ils méritent de se divertir!

– Bonne idée, mon cœur! a dit le docteur. Pourquoi pas emmener tout le monde à Jacmel cette fin de semaine pour le Festival du film? Nous pourrions aller à la plage, faire quelques courses, et voir un film. Hé, Rosemène, on pourrait aller manger au restaurant La Crevette et danser un peu! Invitons Clarine et Hyacinthe aussi! Nous pourrons passer la nuit chez ta grand-mère, dans cette grande maison qui compte tant de chambres vides! Il n'y a plus que ton petit frère qui y habite!

Mme Préval a éclaté de rire devant l'enthousiasme de son mari.

– Aïe, a-t-elle dit, je vois que toi aussi, tu as besoin de vacances! C'est vrai qu'il serait si bon de danser et de s'amuser, comme si nous n'avions pas tant de responsabilités. Et les enfants adorent Jacmel, ils seront ravis! Allons-y!

Trois jours après, les Préval et leurs invités sont partis dans deux voitures. Ils ont longé la côte à l'ouest de Port-au-Prince, traversé le village de Léogâne et pris vers le sud pour arriver à Jacmel, au bord de la mer. Antoine et Karine s'émerveillait devant le magnifique paysage, la mer bleue et les jolis petits bâtiments peints de couleurs vives.

En arrivant à Jacmel, tout le monde est allé rencontrer la grand-mère de Mme Préval, une belle dame aux cheveux blancs à laquelle sa petite-fille ressemblait beaucoup. Le frère de Rosemène, beaucoup plus jeune qu'elle, leur a annoncé que lui et sa grand-mère allaient les accompagner à la plage.

– On s'amusera bien! a-t-il dit. Et après, on reviendra pour le dîner, et après ça on ira voir un film, puis on ira danser! Mademoiselle Karine, vous aimez danser?

– Mais bien sûr! a répondu Karine, et j'adore la musique haïtienne! Mais, on peut se tutoyer, n'est-ce pas? On a presque le même âge!

Qu'est-ce que le commentaire de Karine nous apprend sur les différences culturelles entre le Canada et Haïti?

Raymond, le frère de Rosemène, a ri de bon cœur.

– Ah! a dit la grand-mère, il a de bonnes manières, mon petit-fils, surtout quand je suis là!

Elle a expliqué à Karine qu'à Haïti il est d'usage d'être un peu formel au début, surtout si c'est un homme qui s'adresse à une jeune femme.

Ils sont tous montés dans les voitures encore une fois, et se sont mis en route vers la plage Cyvadier, à une dizaine de kilomètres de Jacmel. C'était une petite plage de sable blanc nichée dans une baie en forme de lune. Le docteur Préval l'avait choisie parce qu'elle était plus protégée que la majorité des autres plages, et plus sûre pour les enfants. Il a expliqué que la côte avait ici une contre-marée très forte, mais que dans cette petite baie il y avait moins de danger.

À part les contre-marées, quels autres dangers y a-t-il à la mer?

Comme la mer était belle! Tout le monde a couru pour se lancer dans l'eau bleue cristalline. Elle était si chaude que Karine et Antoine, surpris, ont éclaté de rire, étant habitués au choc de la température froide des lacs canadiens. Quel plaisir de nager dans ces eaux tropicales! Avec les enfants, ils ont observé les crustacés et les poissons de couleurs vives, et ont aidé Florence, Maxime et Désiré à construire un énorme château de sable. Mme Préval souriait à les voir si heureux.

– Tu vois, chéri, a-t-elle dit à son mari, ils ont déjà l'air moins stressé et fatigué! Hyacinthe et Clarine s'amusent comme des enfants eux aussi! Il ne faut pas oublier que notre Haïti ne rime pas seulement avec travail et misère!

Après quelques heures passées à la plage, tout le monde avait une faim de loup! On est retourné à Jacmel pour aller manger au restaurant favori du docteur, La Crevette. L'établissement, situé sur le quai, était très joli et offrait une vue splendide sur la mer. On y servait une grande variété de poissons et de fruits de mer.

– Je n'ai jamais mangé de crevettes comme ça! a crié Antoine. Elles sont si fraîches et si grosses!

– Oui! a répondu Raymond, ici on a les meilleures crevettes du monde! Haïti est célèbre pour ses fruits de mer, tu sais! Ces crevettes-là nageaient dans la baie ce matin!

– Oooh! Les pauvres petites bêtes! Et maintenant je leur croque la tête! a dit Antoine, faisant rire Florence et Maxime avec une drôle de grimace.

Après le repas, tout le monde est allé voir un film. Antoine et Karine étaient très surpris de voir qu'on allait regarder le film en plein air, assis sur le sable près du quai, et que c'était gratuit. Comme c'était différent! Il y avait beaucoup de monde, parce que le film était haïtien. Karine, en regardant les gens autour d'elle, s'est rendu compte que, pour plusieurs dans la foule, c'était une occasion spéciale, que les gens n'allaient pas très souvent au cinéma. Pendant un moment, elle a eu honte d'avoir tant vu, tant lu, d'avoir consommé tant de richesses sans trop y penser. Elle pouvait voir que, pour beaucoup trop d'Haïtiens, voir un film était un moment inoubliable, un luxe!

Clarine était aussi excitée que la foule de pouvoir voir le film, mais pour d'autres raisons.

– Je connais le réalisateur, a-t-elle expliqué. C'est un ami de ma famille. Il a assisté à l'école de cinéma ici, pendant la première année du festival, en 2004, puis il a fait son propre film!

Le film portait sur l'histoire d'Haïti, et Antoine en était ravi. C'était l'histoire de Toussaint Louverture et des autres braves hommes qui ont libéré Haïti entre 1793 et 1796. Il était très ému, comme les autres spectateurs, devant le triste sort de ce général si courageux, mort dans une prison française. Karine, tout aussi émue, a pris sa main dans la sienne.

Clarine et Hyacinthe, voyant ce petit geste, se sont regardés. Hyacinthe a chuchoté à l'oreille de Clarine : « Est-ce qu'il se passe quelque chose, là? Ils sont amoureux, peut-être? »

– Peut-être! a répondu Clarine, mais Karine n'en a jamais parlé. Peut-être qu'ils n'en sont pas encore conscients!

Elle a regardé le couple, la tête de Karine penchée sur l'épaule d'Antoine, avec de nouveaux yeux. Que se passait-il?

Après le film, tout le monde était un peu triste et pensif.

– Aïe! a dit Raymond, on est ici pour s'amuser, non? Allons danser!

Ils sont retournés à La Crevette, où un groupe joyeux jouait du compas, un mélange de merengue et de musique africaine, pour le plus grand plaisir d'une foule de danseurs. Raymond a présenté Hyacinthe, Antoine, Karine et Clarine à ses amis, et bientôt tout le monde dansait! Même le docteur et Mme Préval étaient venus danser, la grand-mère ayant proposé de ramener les enfants à la maison. Et comme ils dansaient! Les rythmes tropicaux du groupe étaient si irrésistibles qu'il était hors de question de rester assis!

Vers deux heures du matin, fatigués, les jeunes et les Préval sont allés se coucher. Le lendemain, ils se sont levés de bonne heure pour aller faire des achats et déjeuner près de la mer. Ils ne voulaient pas perdre une seule minute de ces vacances si brèves! Jacmel est célèbre pour son artisanat, et Antoine et Karine en ont profité pour acheter des souvenirs pour leurs familles et quelques cadeaux pour leurs hôtes, pour les remercier pour ce séjour à la mer. Karine a acheté des modèles réduits de tap-tap pour les garçons, une poupée pour Florence, et un vase décoré de scènes haïtiennes de style naïf pour la grand-mère de Mme Préval. Antoine a acheté des napperons pour cette dernière et un joli chapeau de paille pour Mme Préval.

De retour à Pétionville, Karine et Antoine ont remercié mille fois les Préval pour ce charmant voyage. Ils avaient vu l'autre visage d'Haïti, la joie des gens malgré toutes les difficultés. Et, pendant le voyage, ils étaient devenus très bons amis avec Hyacinthe, Clarine et Raymond.

– Maintenant, a dit Karine, je me sens comme si ce pays était le mien, et je sens que je fais partie de la famille! Et je veux travailler plus fort encore, parce que j'aime ce pays et que je sais qu'il y a des remèdes au désespoir! Comme vous êtes gentils!

Elle a embrassé Mme Préval et le docteur, pendant qu'Antoine leur offrait les cadeaux. Antoine avait le cœur si gonflé d'émotion qu'il ne pouvait pas parler. Maintenant, il savait que l'Haïti de sa grand-mère existait toujours!

Retour en arrière

- Qu'est-ce que les Préval et leurs invités ont fait à Jacmel?

Regard sur l'avenir

- Es-tu d'accord avec Clarine que Karine et Antoine ne se rendent pas compte qu'ils sont amoureux?

Réflexion

- Comment la visualisation t'aide-t-elle à comprendre ce qui se passe dans ce chapitre?

Du bon et du mauvais

> **À ton avis, quels seront les effets de la fin de semaine à Jacmel sur le travail de Karine et d'Antoine?**

Après cette fin de semaine si heureuse, la vie a continué, mais ce n'était plus tout à fait pareil. Le travail était aussi difficile qu'avant, et les scènes de détresse et de souffrance aussi éprouvantes, mais Antoine et Karine avaient maintenant de bons amis et de bons souvenirs qui les aidaient à continuer, même quand les difficultés étaient grandes.

Ils sont devenus plus aventureux aussi. En compagnie de Clarine et d'Hyacinthe, ils ont commencé à sortir un peu plus, et à explorer Port-au-Prince et Pétionville. Ils sont allés danser un soir dans un club de Pétionville, Xtrême, où jouait un groupe très connu, l'Orchestre Super

Choucoune. C'était si amusant qu'ils ont pris la résolution d'aller danser toutes les fins de semaine. Un soir que Clarine et Hyacinthe ne pouvaient pas les accompagner, ils y sont même allés seuls, en tap-tap! Quelle aventure! Mais aussi, pour la première fois, ils étaient seuls tous les deux. Et ça faisait une grande différence.

Pendant qu'ils dansaient une rumba, une danse lente et sensuelle par moments, Antoine, la tête penchée sur celle de Karine, s'est rendu compte que ses sentiments envers elle changeaient. Elle était beaucoup plus qu'une amie maintenant! Mais est-ce qu'il devait dire quelque chose? Il a pensé à la peine si récente de Karine, quand elle venait de rompre avec Jean-Marc, et à sa résolution de ne plus penser à l'amour. Il savait qu'elle était beaucoup plus blessée que lui, dont la relation avec Andrée n'avait pas vraiment été sérieuse. Est-ce qu'il devrait parler d'amour quand sa dernière flamme était encore si récente? Il ne voulait pas risquer de perdre cette amitié qui lui était si précieuse. Alors, il n'a rien dit. Il continuerait d'être le bon ami d'avant, et attendrait encore avant de parler de ses sentiments...

Ce qu'Antoine ne savait pas, c'est que Karine commençait à ressentir la même chose! Et qu'elle aussi, pensant à la rupture récente d'Antoine, avait décidé de ne rien dire pour le moment. Elle aussi avait peur de nuire à cette si belle amitié. Elle ne voulait pas du tout causer de problèmes, ni pour lui ni pour elle, maintenant qu'ils étaient en parfaite harmonie!

Karine et Antoine vont-ils se parler de leurs nouveaux sentiments? Explique ta réponse.

Ils ne savaient pas non plus que leurs amis étaient parfaitement conscients de leurs sentiments! Clarine et Hyacinthe attendaient, et se demandaient pourquoi cette histoire sentimentale ne semblait pas se développer. Ces deux-là ne savaient-ils pas qu'ils étaient amoureux? Est-ce que c'était quelque bizarre coutume canadienne de faire comme si de rien n'était? Ils hésitaient à en parler, mais ils trouvaient la situation un peu insolite.

De toute façon, ils continuaient de bien travailler et de bien s'amuser ensemble. Ils sont allés au Musée du panthéon national, pour voir les expositions sur l'histoire des Tainos, les indigènes d'Haïti, et les tombes de Toussaint Louverture et des autres pères de l'indépendance, Jean-Jacques Dessalines, Henri Christophe et Alexandre Pétion. Ils ont admiré les statues érigées devant le magnifique palais national, se sont promenés dans le parc du Champ de Mars, et ont contemplé les fresques de la splendide cathédrale Sainte-Trinité. Ils ont acheté des souvenirs au Marché de fer, où l'on vend toutes sortes d'objets d'artisanat, en particulier des drapeaux et des poupées de vaudou. Au marché, ils se sont arrêtés pour boire un fresco, une boisson congelée, et Karine et Antoine se sont amusés en voyant la quantité d'abeilles qui, attirées par la douce odeur des mangues et des papayes, bourdonnaient autour du petit kiosque.

Bien sûr, ce paradis avait son lot de problèmes! La circulation était si intense à Port-au-Prince qu'il était quelquefois presque impossible de bouger. Hors du Champ de Mars, les rues étaient si bondées qu'il était

difficile pour les quatre amis de rester ensemble. Dans beaucoup de rues, il y avait des déchets, et une odeur terrible de nourriture pourrie, d'égout et de pauvreté. Partout, sauf dans le parc, on rencontrait des mendiants, des hommes, des femmes et des enfants, au regard triste et anxieux ou à l'air révolté, mais tous avaient l'air désespéré. Parfois, Antoine et Karine avaient peur dans la foule. Ils avaient eu peur particulièrement le jour où quelqu'un avait volé le portefeuille d'Antoine.

Les quatre amis étaient allés écouter un groupe de compas, la musique de danse la plus populaire du moment. En montant dans la voiture de Clarine, à la sortie du club, Antoine avait mis sa main dans la poche arrière de son jean pour s'assurer qu'il avait son portefeuille. Il n'y était plus!

Est-ce qu'on t'a déjà volé quelque chose? Décris la situation.

– Désolé pour toi mon ami! a dit Hyacinthe. J'aurais dû t'avertir de ne pas garder ton portefeuille dans ta poche! Quelqu'un l'a probablement pris quand nous sortions du club. Il y avait tant de monde! Est-ce que tu as perdu quelque chose d'important?

– Non, heureusement, a répondu Antoine. J'ai laissé mes documents et mes cartes à la maison. J'ai seulement perdu 500 gourdes (environ 13 dollars canadiens). Mais je sais que c'est une somme énorme pour beaucoup de gens ici! On pourrait acheter à manger pour toute une famille, pour une semaine! Comme je suis stupide! On m'avait dit au Canada de ne jamais mettre mon argent là où un pickpocket pourrait facilement le prendre!

– Quelle chance alors! a dit Clarine. Si tu avais perdu une carte de crédit ou d'identité, tu aurais eu pas mal de difficulté à la remplacer!

De retour à la maison, Antoine est resté dans le jardin quelques instants avec Karine. Elle a vu qu'il n'était pas content, et elle a pris sa main.

Que doit-on faire si on perd son passeport en voyageant à l'étranger? Fais des recherches et présente tes découvertes à ton groupe.

– Ne sois pas fâché contre toi, Antoine! Ce n'est pas ta faute!

Antoine a souri faiblement et a dit :

– C'est juste que... C'est terrible que la pauvreté pousse les gens à faire de telles choses! Et je me rends compte que j'ai dépensé tant d'argent, sans vraiment penser à ceux qui en avaient besoin. Je n'aime pas me sentir aussi stupide! Ni me sentir comme un touriste idiot! Je préfère penser que je suis ici dans mon propre pays, comme je le suis au Canada!

Karine a souri à son tour.

– Même au Canada, dans une grande ville, la même chose aurait pu t'arriver! Et même les Haïtiens se font voler parfois. Tu te souviens du jour où la pauvre Bertonie est revenue à la maison en larmes parce qu'on avait volé son sac à main? Et dépenser ton argent ici, ça fait du bien à tous! Comment vont-ils survivre sans des gens comme nous qui achètent les choses qu'ils vendent?

Soulagé, Antoine a pris son autre main dans la sienne.

– Ah, Karine, comme tu sais réconforter les gens! Tu as raison! Tu as entièrement raison!

Il voulait tellement l'embrasser! Pendant un long moment, ils se sont regardés. Mais la petite voix qui disait « Non! C'est trop tôt! » résonnait dans sa tête, et il a finalement lâché les mains de Karine pour rentrer dans la maison.

Retour en arrière

- Qu'est-ce qui indique que Karine et Antoine se sentent plus à l'aise à Port-au-Prince?
- Qu'est-ce qu'Antoine aurait dû faire pour éviter de se faire voler?

Regard sur l'avenir

- Est-ce que la vie calme et heureuse va continuer? Prédis ce qui pourrait changer la situation.

Réflexion

- Comment tes expériences personnelles t'aident-elles à comprendre ce que tu lis?

Les fêtes

Quelles fêtes sont les plus importantes pour toi? Comment aimes-tu les célébrer?

La période des fêtes était enfin arrivée! Noël et le Nouvel An sont des fêtes très importantes à Haïti. Le temps des fêtes commence tôt, à la mi-décembre, et dure longtemps. Le jour de l'An est en même temps la fête de l'Indépendance, et le jour des Ancêtres est célébré le 2 janvier. C'est dire que tout le monde est prêt à célébrer!

Antoine et Karine ont participé avec enthousiasme à leur première période des fêtes à Haïti. Au début, ils étaient un peu nostalgiques en pensant à leurs familles, et ils ont passé autant de temps qu'ils le pouvaient à leur parler. C'était facile, parce que Karine avait un ordinateur portatif, un cadeau de son père, et elle avait téléchargé le logiciel Skype, qui permet de faire des appels interurbains gratuits via Internet. Le seul problème était de pouvoir compter sur suffisamment d'heures d'électricité pour recharger les piles de l'ordinateur après chaque longue conversation! Heureusement, ils ont pu parler à leurs familles à plusieurs reprises en décembre.

De plus, il y avait tant de fêtes chez les Préval qu'il était vraiment difficile d'être déprimé! Presque tous les soirs, ils entendaient le cri *onè* (honneur) qui annonçait l'entrée de visiteurs dans le jardin. À Haïti, il est considéré comme poli et nécessaire d'offrir à boire aux invités, et de leur donner quelque chose à emporter à la fin de la soirée. Les Préval avaient toujours en réserve des boissons de toutes sortes.

Il y avait aussi beaucoup de nourriture, et chaque visiteur, en disant son *respè* (respect) d'adieu, emportait un paquet de *piene patte* ou d'autres délices. Annie et Bertonie étaient très occupées à préparer, avec Mme Préval, non seulement les *diri ak pwa* (riz et fèves rouges) et *bannann peze* (plantains frits) de tous les jours, mais aussi beaucoup de *bouillons* (ragoûts) au bœuf ou au *cabrit* (chèvre), de *pâtés* (de la viande frite en croûte) et de soupe *joumou* (à la citrouille), la soupe consommée le matin du jour de l'An.

D'abord, discutez en groupe de vos impressions du vaudou, basées sur les histoires que vous avez lues et les films que vous avez vus. Ensuite, faites des recherches sur le vaudou et présentez-les.

Pendant les vacances, Antoine et Karine ont assisté à une cérémonie vaudou. Hyacinthe avait proposé cette activité à Antoine pour le jour des Ancêtres.

– Hé, mon ami, tu voudrais voir servir les *lwa*?

Antoine n'a pas compris au début. Hyacinthe lui a expliqué que le vaudou, la religion officielle d'Haïti, se basait sur l'idée de consulter les esprits de ses ancêtres et les vieux esprits africains, les *lwa*. Les cérémonies permettaient aux participants de demander conseil aux *lwa* et de leur poser des questions. Elles étaient aussi l'occasion de se souvenir de ses ancêtres et de son héritage.

Antoine, intrigué, s'est souvenu de ce qu'il avait lu quand il était jeune, et a demandé :

– Mais est-ce qu'on peut y aller sans participer? Je ne veux pas manquer de respect envers ma propre religion!

– Ben oui! a répondu Hyacinthe. Beaucoup de monde y va, des touristes parfois, des gens curieux. Ce n'est pas seulement les adeptes du vaudou, les vaudouisants, qui y assistent, en compagnie des *houngans* et des *mambos* (les prêtres, hommes ou femmes)! Et n'aie pas peur, ce n'est pas de la magie noire, tu ne verras pas de *zombis!*

– J'suis pas aussi nono! a dit Antoine, insulté. J'ai déjà lu un peu sur le vaudou, le vrai, pas les histoires d'Hollywood! Je sais que c'est basé sur les rites africains de pays comme le Dahomey et le Sénégal, et ceux du peuple ibo.

Aimerais-tu assister à une cérémonie vaudou? Explique ta réponse.

– OK! Très bien, mon 'tit professeur! a répondu Hyacinthe. Invitons les filles, ce sera intéressant!

Hyacinthe hésitait tout à coup à parler.

– Euh… je ne sais pas si je devrais te demander ça, mais… y a-t-il… euh… quelque chose… entre toi et Karine? Tu ne danses qu'avec elle, tu la regardes sans cesse… Qu'est-ce qui se passe?

Antoine était un peu gêné, mais il en avait assez de ne jamais parler de ses sentiments. Et Hyacinthe était devenu un très bon ami!

– Eh bien… oui, je crois que… je pense que… oh, mon Dieu, je suis amoureux, Hyacinthe! J'attends seulement le bon moment pour le lui dire! Elle a rompu avec un gars qu'elle aimait juste avant de venir ici, et elle a été profondément blessée. Je ne veux pas aller trop vite.

– Ah! Maintenant je comprends! a dit Hyacinthe. T'es un bon gars! Mais n'attends pas trop! Si tu étais vaudouisant, tu pourrais demander conseil à Maman Erzulie, Erzulie Freda, la *lwa* de l'amour!

Il a éclaté de rire en voyant la nervosité apparaître sur le visage d'Antoine!

– Ça va, ça va, un pas à la fois! Tu vas seulement regarder pour cette fois! Oh, j'oubliais : il faut que tu achètes un cadeau pour le *houngan*. Des cigares seraient une bonne idée.

Les quatre amis sont allés à la cérémonie, qui se déroulait dans un temple. Au centre de la partie publique du temple, appelée péristyle, il y avait un *poteau-mitan*, un poteau censé unir la terre au ciel, établissant ainsi la communication entre toutes les catégories d'esprits. Antoine et Karine ont offert une boîte de cigares au *houngan*, puis se sont assis avec leurs amis sur le côté pour écouter et regarder. La cérémonie a commencé avec de la musique et des rythmes de tambour. Tout le monde frappait dans ses mains pour marquer le rythme. Il y avait beaucoup d'hymnes catholiques et de prières en créole. L'assistance a entonné un chant qui rendait hommage aux *lwa* et aux ancêtres, avec des mots en langues africaines.

Après, le *houngan* a tracé un symbole sacré, le *vévé,* sur le plancher, et les gens ont dansé pour appeler les *lwa.* Des tambours spéciaux accompagnaient les danseurs, et il y avait une chanson distincte pour appeler chaque *lwa.* Ceux qui étaient possédés par les *lwa* tombaient par terre et criaient en prenant la voix des esprits africains. La cérémonie était très longue, surtout parce que c'était le jour des Ancêtres. Comme elle avait commencé au coucher du soleil, les quatre amis sont devenus très fatigués après quelques heures. C'était fascinant à voir, et la musique était hypnotique. Mais vers trois heures et demie du matin, Hyacinthe, voyant les yeux fatigués de ses amis, a chuchoté dans leurs oreilles : « *Ann ale!* »

Après avoir fait leurs adieux respectueux au *houngan,* ils sont retournés à la maison. Hyacinthe a demandé aux Canadiens leurs impressions sur la soirée. Quelle expérience! Ils avaient apprécié l'aventure et l'ont remercié chaleureusement pour cette excellente idée.

Retour en arrière

- Comment Karine et Antoine ont-ils passé les fêtes?

Regard sur l'avenir

- Antoine a avoué à Hyacinthe qu'il est amoureux de Karine. Va-t-il le lui dire à elle aussi?

Réflexion

- As-tu essayé de visualiser la cérémonie vaudou et d'« entendre » la musique et les bruits? Comment cela t'aide-t-il à comprendre ce que tu lis?

Le 12 janvier

> Qu'est-ce qui s'est passé à Port-au-Prince le 12 janvier 2010?

C'était mardi, le douze janvier. Karine travaillait à l'hôpital, aidant Clarine à donner le bain à quelques nouveaux-nés. Normalement, elle adorait cette tâche, s'émerveillant des personnalités déjà différentes des tout-petits. Mais aujourd'hui, il faisait tellement chaud! Il n'y avait pas un seul courant d'air, et l'atmosphère était lourde, comme s'il allait y avoir une tempête. Clarine était fatiguée, après une journée difficile, et Karine avait mal à la tête, alors leur bonne humeur habituelle n'était pas au rendez-vous. À la fin de la journée, elles se sont dirigées vers Pétionville, heureuses d'avoir enfin terminé leur journée de travail. Clarine avait hâte de retourner à la maison, parce qu'Hyacinthe allait être là, avec Antoine. Et les visites d'Hyacinthe étaient devenues de plus en plus importantes pour elle. Alors elle essayait d'aller le plus vite possible, impatiente dans la circulation toujours aussi mauvaise.

Ce soir-là, Hyacinthe, Karine et Clarine devaient accompagner Antoine à un événement important – une visite à ses cousins! Ces derniers venaient visiter un ami à Pétionville, et ils avaient appelé Antoine pour l'inviter à se joindre à eux. Alors, Antoine était revenu à la maison en voiture avec Hyacinthe. Le docteur Préval allait rester à l'hôpital un peu plus tard que de coutume.

Antoine était très excité de finalement rencontrer ses cousins. Il avait communiqué avec eux par courriel et au téléphone, mais c'était la première fois qu'il allait les voir en personne. Ils étaient très heureux aussi de pouvoir faire la connaissance d'Antoine, et de renouer avec leur famille au Canada. Karine espérait que son mal de tête disparaîtrait vite, parce qu'elle voulait participer à la joie d'Antoine, et ne pas gâcher son bonheur.

As-tu de la famille à l'étranger? À quel endroit? Voudrais-tu rendre visite à ces personnes chez elles?

À la maison, Clarine et Karine se sont changées et sont sorties dans le jardin. Hyacinthe était parti au supermarché pour acheter quelque chose à boire à apporter à la fête. Clarine est montée dans sa voiture pour l'attendre. Karine a décidé d'attendre Antoine dans le jardin – une petite brise aidait à chasser son mal de tête. Elle se sentait comme si elle avait un poids sur sa pauvre tête! Est-ce qu'il allait pleuvoir? Sûrement pas, car c'était la saison sèche! Elle se frottait les tempes et scrutait le ciel. Pas un seul nuage en vue!

Antoine était dans le salon avec les enfants, et il essayait de leur expliquer pourquoi il ne pouvait pas jouer au football avec eux. Karine les entendait protester, criant : « Non! Ce n'est pas juste! Est-ce que nous pouvons t'accompagner? » Karine a souri. Antoine était vraiment très populaire auprès des trois enfants!

Karine s'est levée pour aller à la voiture, mais tout à coup, la terre sous ses pieds s'est mise à bouger! Elle a entendu un bruit terrible, un grondement profond, comme s'il

As-tu déjà été présent(e) pendant un désastre naturel? Décris la situation.

y avait une avalanche! Et la terre bougeait, se soulevait! Karine ne pouvait pas rester debout, le sol faisait des vagues! Elle a crié de toutes ses forces. Sa tête tournait, elle avait la nausée, elle ne voyait que des points noirs! C'était comme si la terre essayait de la projeter dans les airs!

Se déplaçant à genoux sur le sol qui se soulevait et retombait, elle a essayé d'aller vers le mur entourant le jardin pour se relever mais, terrifiée, elle a vu le mur s'écrouler devant elle. Des blocs de ciment ont roulé vers elle, et elle a essayé de se relever et de courir. C'était comme dans les cauchemars les plus terrifiants – elle ne pouvait pas se relever! Elle a roulé sur le sol, essayant d'éviter les morceaux du mur qui tombaient avec fracas. Et toujours, sans cesse, ce bruit horrible résonnait dans ses oreilles, le hurlement de la terre, et aussi les cris terrifiés des gens autour d'elle.

Ça lui a semblé durer des heures! C'était assourdissant, et Karine était écœurée au point de vomir. Mais finalement, le bruit et le mouvement se sont arrêtés! Confuse, haletante, la jeune femme avait peine à respirer. L'air était plein de poussière. Elle ne pouvait rien voir! Mais qu'est-ce qui était arrivé? Elle a crié, hurlé dans le silence, plus terrible que le bruit. Est-ce qu'elle était seule?

Tout à coup, elle a vu s'avancer vers elle un être indistinct, hésitant et titubant, les mains tendues devant lui. Karine a poussé un grand cri rauque. La créature était toute grise, comme un fantôme, et elle marchait comme un zombi! Mais une main s'est levée, et une voix familière lui a dit : « Ça va, Karine, c'est moi, Clarine, c'était un tremblement de terre! Oh, mon Dieu, la famille, les enfants! Et Hyacinthe, il est allé à l'épicerie! Qu'est-ce qui lui est arrivé? »

Karine se sentait soulagée. Clarine était là! Elle n'était pas seule! Mais immédiatement après, une peur glacée l'a saisie.

– Hyacinthe n'est pas là? a-t-elle crié. Et Antoine! Antoine! Où es-tu? Antoine!

Clarine l'a aidée à se relever, et elles se sont dirigées vers la maison. Elles étaient couvertes de poussière, et ne pouvaient ni voir ni respirer dans ce nuage qui les

entourait. Elles avançaient à tâtons, essayant de trouver la porte de la maison. Elles pleuraient toutes les deux, le son de leurs sanglots et leur toux résonnant dans leurs oreilles.

Finalement, Karine a trouvé la porte et a essayé d'entrer dans la maison. Mais il n'y avait devant elle qu'un petit espace vide et, derrière, un grand tas de décombres! Le plafond du salon s'était effondré! Mais... Antoine... et les enfants?

Elles ont entendu un cri derrière elles et se sont retournées d'un bloc.

C'était Mme Préval! Et derrière elle, Annie et Bertonie! Elles étaient couvertes de poussière elles aussi, et la pauvre Annie saignait à la tête. Bertonie avait de longues égratignures sur les jambes et les bras, et les mains de Mme Préval saignaient.

– Un coin du plafond de la cuisine est tombé, a-t-elle dit entre les sanglots. J'ai dû soulever des morceaux pour dégager Annie et Bertonie, mais on a réussi à sortir, nous sommes ici, nous...

Elle balbutiait comme si elle ne pouvait pas arrêter de parler. Annie pleurait, haletante, mais Bertonie regardait dans le vide et tremblait. Clarine est allée prendre les deux domestiques dans ses bras, et Karine s'est avancée vers Mme Préval. Celle-ci s'est arrêtée tout à coup de parler et, regardant les débris devant elle, a crié :

– Mes bébés! Mes bébés! Oh, mon Dieu! Désiré! Florence! Maxime! Mes bébés!

Criant de toutes ses forces, elle a commencé à creuser avec ses mains, comme un animal traqué. Clarine l'a prise par les bras, essayant de l'arrêter.

– Attention! Attention! a-t-elle hurlé. Non! Tu vas tout faire tomber sur eux! Il faut aller doucement! Rosemène! Rosemène! Écoute-moi! Tu vas les tuer!

Mme Préval s'est arrêtée. Elle a mis ses mains sur son visage et a éclaté en sanglots.

– Mes bébés! Mes tout-petits! Et mon mari! Où est-il? Mon mari! Maurice, mon cœur! Oh, c'est la fin du monde!

Retour en arrière

- Décris le tremblement de terre dans tes propres mots.

Regard sur l'avenir

- Va-t-on retrouver les personnes qui manquent à l'appel?

Réflexion

- Relis le chapitre. Essaie de visualiser la scène et d'« entendre » les bruits.

La fin du monde

Karine et Clarine ne savaient pas quoi faire! Elles étaient en état de choc et n'arrivaient pas à réfléchir. Elles se regardaient, hésitantes, les yeux grands ouverts. Mme Préval, Annie et Bertonie pleuraient et se lamentaient. Tout à coup, Karine a dit : « Chut! Madame! J'entends quelque chose! » Elle a couru vers la montagne de décombres, approchant son oreille du tas de débris.

Qui n'a-t-on pas encore retrouvé? Où sont ces personnes?

– Oui, c'est vrai! J'ai entendu une voix! Je crois que c'est Désiré! Et sa voix est assez forte, il doit être tout près de nous!

Mme Préval, le souffle coupé, est venue se mettre à genoux à côté de Karine pour crier :

– Désiré! Désiré! Oh, mon chéri, ta maman est ici! Es-tu là?

Les cinq femmes ont arrêté de respirer pendant un moment qui leur a semblé une éternité. Et puis, il y a eu un cri, un cri que tout le monde a pu entendre : « Maman! Maman! Aide-nous! Maman! »

Avec des sanglots de soulagement, Clarine a couru chercher des outils dans l'abri du jardin. Il s'était à moitié effondré, et tous les outils étaient tombés par terre, mais elle a pu trouver deux pelles, une binette, une hache et des sécateurs. Karine l'a aidée à les transporter jusqu'à la porte de la maison, et elles ont commencé, avec beaucoup de soin, mais le plus vite possible, à creuser et à déplacer les débris. Clarine a essayé de tenir Mme Préval à l'écart, à cause de ses mains ensanglantées, mais celle-ci a mis une paire de gants de jardinage et a creusé elle aussi, les larmes coulant sur ses joues.

Karine aussi sentait les larmes inonder son visage. Oh! s'il fallait qu'il soit arrivé quelque chose à Antoine! Est-ce qu'il était encore vivant? Elle se disait qu'elle n'arrêterait jamais de lui dire qu'elle l'aimait, si elle le retrouvait vivant! Puis elle a vu une petite main! Elle a passé son bras dans le trou et a saisi la main, qui a serré la sienne.

– Désiré! Désiré! a-t-elle crié, c'est toi?

Une petite voix noyée dans les larmes a sangloté : « Oui! Sauve-nous! Nous sommes sous la porte! »

Les femmes ont constaté que c'était vrai! La porte protégeait Désiré! Elles se sont remises au travail, plus déterminées que jamais. Comme c'était difficile! Les débris étaient lourds et difficiles à déplacer, et elles avaient tellement peur que tout ne s'effondre! Des nuages de poussière les enveloppaient, et elles toussaient continuellement. Mais, peu à peu, elles ont élargi le trou, et elles ont aperçu le petit visage gris de Désiré, marqué de deux lignes de larmes! Mme Préval a poussé un cri à déchirer le cœur!

Elles ont aidé l'enfant à sortir et, derrière lui, elles ont vu le visage de Florence! La fillette pleurait si fort qu'elle pouvait à peine respirer. Une fois sortie, elle s'est jetée dans les bras de sa mère, se cramponnant à elle et à son frère. Karine et Clarine ont continué de creuser et de pelleter les débris.

– Maxime! Antoine! Vous êtes là? a crié Karine. Répondez! Vous êtes là?

Une autre petite tête est sortie des décombres. Un grand espoir est né dans le cœur de Karine. C'était Maxime! Et quelqu'un le poussait, l'aidait à sortir! Elle a pris Maxime sous les bras et l'a passé à Clarine, puis elle a crié de nouveau : « Antoine! Antoine! C'est moi! Réponds-moi! »

Pendant quelques secondes, son cœur battait si fort qu'elle n'entendait plus rien. Mais, quoique très faible, une voix a finalement répondu!

– Ka... Karine! C'est... C'est moi!

Karine a poussé un grand cri de joie! Mais il était si difficile d'aider Antoine à sortir! Il avait de la difficulté à bouger, et il a dit, avec beaucoup d'hésitation dans la voix, haletant et l'air souffrant, qu'il ne pouvait pas utiliser son bras gauche, ni son pied droit. Le tas de décombres n'arrêtait pas de faire des bruits menaçants, comme s'il allait l'ensevelir.

Finalement, Karine est entrée dans le trou pour guider et aider Antoine. Comme c'était difficile! Antoine n'arrêtait pas de pousser des gémissements de douleur qui faisaient frémir Karine. Apparemment, il avait protégé les enfants avec son corps pendant que les murs et le plafond s'effondraient sur eux. Karine avait la gorge nouée en pensant à la façon dont son ami s'était sacrifié pour les enfants! Heureusement qu'il avait couru avec eux vers la porte, et que celle-ci les avait protégés.

On a pu sauver Antoine, mais il reste maintenant un grave problème à résoudre. Lequel?

Quand elle l'a enfin sorti du trou, avec l'aide d'Annie et de Clarine, il était évident qu'il avait un bras et une cheville cassés. Clarine, en l'examinant, a chuchoté : « Je crois qu'il a aussi des côtes cassées, et quoi d'autre encore? Qu'est-ce que nous allons faire? » Elles se sont regardées, de nouveau paniquées. Où allaient-elles trouver de l'aide? Qui pourrait les aider? Qui était encore en vie?

Tout à coup, on a entendu appeler dehors, et quelqu'un est entré dans le jardin, sautant par-dessus les restes du mur. Il était couvert de poussière, mais Mme Préval l'a reconnu immédiatement. Les garçons accrochés à elle, Florence dans ses bras, elle a couru vers lui, criant : « Maurice! Maurice! Dieu merci! Tu es vivant! »

C'était le docteur Préval! Karine et Clarine, à genoux à côté d'Antoine, ont poussé des soupirs de soulagement. Et Antoine a souri, non sans difficulté, et a dit : « Dieu merci! » avant de s'évanouir.

Retour en arrière

- Comment les femmes ont-elles sauvé Antoine et les enfants?
- Pourquoi Karine est-elle soulagée de voir revenir le docteur Préval?

Regard sur l'avenir

- Est-ce que le docteur pourra aider Antoine?
- Où est Hyacinthe?

Réflexion

- Quelles stratégies as-tu utilisées pour comprendre ce chapitre?

Un peu d'espoir

Qu'est-ce que le docteur Préval décrira aux autres?

Pendant quelques minutes, tout le monde a parlé en même temps, chacun essayant d'exprimer sa terreur et son amour. Le docteur Préval a expliqué qu'il était en route vers la maison quand le tremblement de terre s'était produit, et qu'il avait dû laisser la voiture à un kilomètre de la maison. Il était évident qu'il avait vu des choses terribles. Il tremblait de la tête aux pieds et n'arrivait pas à retenir ses larmes.

– Oh, mon Dieu! a-t-il balbutié, vous ne pouvez pas imaginer… Ce n'est pas possible… Il y a tant de maisons détruites! Au bout de notre rue, les trois dernières maisons sont tombées dans le ravin, elles ne sont plus qu'un tas de débris! Et l'hôpital s'est écroulé! Il y a tant de blessés dans les rues, mais je ne pouvais pas les aider, je ne pouvais pas! Je devais savoir si ma famille…

Il s'est arrêté, éclatant en sanglots, serrant ses enfants et sa femme dans ses bras.

Karine et Clarine se sont regardées, pétrifiées. L'hôpital était détruit? Mais… Elles ont regardé Antoine, inconscient sur le sol. Comment pourraient-elles le soigner sans aide?

Après quelques secondes, le docteur s'est maîtrisé et a vu Antoine étendu par terre.

– Oh, non! a-t-il crié, et il s'est précipité vers le jeune homme. Qu'est-ce qu'il a? Qu'est-ce qui lui est arrivé?

– Il a sauvé les enfants, Maurice! a dit Mme Préval. C'est un héros!

Le docteur s'est agenouillé à côté d'Antoine et a ouvert sa sacoche de visite qu'il avait heureusement gardée avec lui. Il a examiné le jeune homme.

– Il a quelques côtes cassées, a-t-il dit, et le bras et la cheville, et il est en état de choc. Je vais faire ce que je peux, mais sans hôpital…

Qu'est-ce que le docteur Préval allait dire? Pourquoi s'est-il arrêté?

Le docteur n'a pas fini sa phrase. Il a commencé à fabriquer des attelles pour le bras et la cheville d'Antoine et à envelopper son torse de pansements. Clarine et Karine l'ont

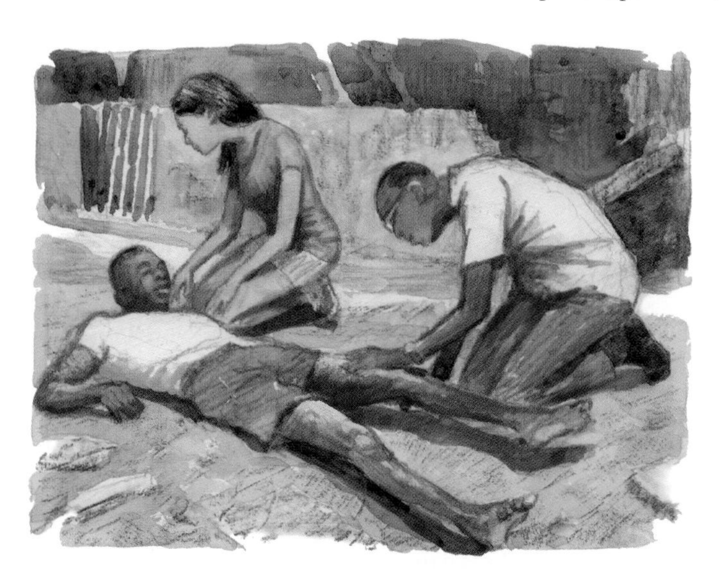

aidé en trouvant des morceaux de meubles cassés pour faire les attelles. Bertonie a couru vers les chambres des enfants, presque intactes, et a rapporté une couverture pour envelopper Antoine.

– Bertonie! Merci beaucoup, a dit le docteur quand il a vu la couverture, mais s'il vous plaît, il faut faire attention en entrant dans la maison! Je peux voir de grandes fissures dans les murs, ils ne sont pas stables! Et venez, je vais soigner ces égratignures sur vos jambes!

Pendant que le docteur désinfectait les plaies de Bertonie, puis celles d'Annie, de sa femme et de ses enfants, tout le monde s'était mis à regarder l'étendue des dégâts. Le nuage de poussière était retombé, et ils pouvaient enfin voir ce qui s'était passé. Quelle chance que leur maison n'avait qu'un étage! À part la destruction du salon et d'une partie de la cuisine, le reste était debout, bien qu'en assez mauvais état. Mais autour d'eux, beaucoup de maisons étaient presque complètement détruites! Tout le monde, sauf Karine qui veillait sur Antoine, est sorti dans la rue pour voir ce qui était arrivé aux voisins.

C'était un spectacle affreux! La maison d'en face n'existait plus – tout ce qu'ils pouvaient voir, c'était un tas de débris, et un coin de la voiture. À côté, une grande maison de deux étages s'était écroulée. Et le bout de la rue n'existait plus du tout! Les trois maisons les plus près de ce beau ravin boisé, garni d'arbres et de fleurs, étaient tombées dans le ravin, emportant le terrain avec elles. On pouvait entendre de pauvres gens crier sous les décombres! Quelques personnes sont sorties dans la rue, pleurant et criant : « Au secours! Au secours! » Une femme est venue vers les Préval d'un pas chancelant, un petit corps couvert de sang dans les bras.

– Elle est morte! hurlait la pauvre femme. Elle est morte! Ils sont tous morts! Morts!

Le docteur a couru l'aider, et Mme Préval a poussé ses trois enfants dans le jardin.

– Restez avec Karine! Aidez-la à prendre soin d'Antoine! S'il vous plaît, mes petits lapins, je dois aller aider les voisins! Restez ici!

Florence a recommencé à sangloter.

À ton avis, Mme Préval a-t-elle raison d'aller aider les voisins ou devrait-elle rester avec ses enfants?

- S'il te plaît, ma chérie, a dit Mme Préval, c'est dangereux. Reste avec Karine dans le jardin. Tu vas être en sécurité. S'il te plaît, ma grande fille!

- Ça va, maman, a dit Désiré. Tu peux aller aider les voisins, je vais prendre soin de Maxime et de Florence.

Mme Préval a serré son fils dans ses bras, l'a embrassé, et est partie.

Pendant trois ou quatre heures, ils ont travaillé. Ils ont creusé dans des tas de décombres pour trouver des survivants, ils ont essayé de réconforter des personnes inconsolables, dont plusieurs proches n'avaient pas survécu. Le docteur était retourné à son cabinet à moitié détruit pour prendre des médicaments, des pansements, tout ce qu'il pouvait trouver. Malheureusement, beaucoup de bouteilles de médicaments s'étaient cassées. Il marmonnait sans cesse : « Si seulement j'avais plus d'équipements! Si j'avais plus de pénicilline et de morphine! »

De temps en temps, le docteur ou sa femme, Clarine ou les domestiques revenaient se reposer parce qu'ils n'en pouvaient plus. Ils restaient quelques instants à côté d'Antoine et des enfants, haletant, pleurant, tremblant, et Karine allait prendre leur place. Elle était horrifiée! Le spectacle qui s'offrait à elle était insoutenable. Des corps ensanglantés jetés n'importe comment dans les rues, dans les jardins. Des gens coincés sous les décombres, hurlant de terreur et de douleur! Des enfants errant dans la rue, cherchant leurs parents, les yeux hébétés et les membres ensanglantés. Comme toujours, Karine a couru aider les enfants en premier. Elle les a pris dans ses bras et les a ramenés dans le jardin des Préval. Elle a pu retrouver les parents de quelques-uns, mais pas tous. Cela lui déchirait le cœur au point où elle pensait qu'elle allait devenir folle! Elle a continué quand même, sachant qu'il n'y avait rien d'autre à faire.

Ils pouvaient faire si peu! Même le docteur trouvait que la tâche devenait impossible. Il y avait tant de morts! Déjà, six corps, recouverts de draps récupérés dans les ruines des maisons, étaient couchés dans la rue. Qu'est-ce qu'ils allaient en faire? Personne n'est arrivé, ni l'ambulance ni les services d'urgence. Les téléphones ne fonctionnaient pas, et la plupart des cellulaires étaient perdus sous les décombres. La rue était encombrée de débris à l'une de ses extrémités et l'autre était tombée dans le ravin.

Peu à peu, le jardin des Préval s'est rempli de voisins, certains blessés, d'autres en larmes. Puis, la terre a recommencé à bouger! C'était le comble! Une foule de gens terrifiés a couru dans la rue, hurlant de peur. Clarine a crié : « C'est une réplique! Restez ici! On est en sécurité ici! »

Mais la plupart des gens ont refusé de revenir et sont restés dans la rue. À présent, seule la famille était dans le jardin, autour d'Antoine, qui s'était réveillé pendant la réplique et s'était remis à gémir de douleur, même s'il essayait d'être brave. Karine le serrait dans ses bras. Si seulement elle pouvait trouver de l'aide pour lui!

Quelles stratégies as-tu employées pour comprendre le mot « réplique »?

Puis, la nuit est tombée – une nuit noire comme personne n'aurait jamais pu l'imaginer. Il n'y avait pas d'électricité, pas de lumière, pas d'eau. Rien à boire, rien pour se laver, et la noirceur totale. Un voisin est arrivé avec la nouvelle qu'un incendie faisait rage dans une maison de la rue voisine, mais on ne pouvait pas appeler les pompiers... s'ils existaient encore! Bertonie est allée dans la cuisine chercher des chandelles et des allumettes, et la faible lueur des chandelles a un peu soulagé la famille. Mais cette lumière montrait trop d'yeux terrifiés et de traces laissées par les larmes sur les visages sales de poussière.

Un autre voisin est arrivé avec une lampe de poche, et une femme a apporté quelques bouteilles d'eau qu'elle avait trouvées dans les ruines de sa cuisine. Tout le monde avait tellement soif! Mais ils savaient bien qu'ils n'allaient pas en trouver d'autre, alors ils en ont bu seulement quelques petites gorgées. Tout le monde s'est partagé l'eau, et on en a donné un peu plus aux enfants.

Mme Préval, Annie et le voisin avec la lampe de poche sont retournés dans la maison avec Karine pour récupérer des couvertures, de l'eau, des ustensiles et de la nourriture.

– Videz le frigo, a dit Mme Préval, et partageons tout ça avec les voisins! Sans électricité, tout va pourrir.

Dans le noir, chacun a mangé ce qu'il pouvait. Certains ont fait des lits avec des couvertures pour les blessés, et d'autres ont essayé de dormir sur la terre. Beaucoup restaient dans la rue, de peur que des murs instables ne s'effondrent durant les répliques. Karine, entourée de la famille Préval, la tête de Maxime sur ses genoux, s'est couchée à côté d'Antoine et a essayé de dormir. Mais des vagues de peur s'emparaient

Regarde l'image. À ton avis, qu'est-ce qu'Antoine et Karine se disent?

continuellement de son corps et de son esprit. Il faisait si noir! Et il y avait tant de ravages autour d'elle! Est-ce qu'ils seraient sauvés? Ou est-ce qu'ils mourraient tous ici, de soif et de faim?

Au moment où elle pensait qu'elle allait faire une crise de nerfs, elle a entendu des voix. Un petit groupe autour d'elle a commencé à chanter. Tous ceux qui en étaient capables se sont joints au groupe pour chanter un hymne en créole. Ces braves Haïtiens! Comme ils étaient courageux! Au lieu de se noyer dans le désespoir, ils chantaient! Elle a senti une main dans la sienne, une main qui serrait la sienne, faiblement. C'était Antoine.

– Courage, ma belle! On s'en sortira! a-t-il chuchoté.

Karine, le cœur chaviré, a posé doucement sa tête sur son épaule. « Oh, Antoine! a-t-elle dit, je t'aime. Je t'aime vraiment! »

Antoine a émis un petit rire rauque.

– Je t'aime moi aussi! a-t-il répondu. Vraiment! Mais comme nous sommes stupides!

– Stupides? a demandé Karine, étonnée. Mais pourquoi, mon chéri?

– Parce qu'il a fallu un tremblement de terre pour que nous le disions! a dit Antoine, avec un hoquet qui ressemblait à moitié à un rire, à moitié à un sanglot.

Karine l'a embrassé, tendrement, sur la bouche. Même au milieu d'un désastre, même blessé et souffrant, Antoine avait le dernier mot!

Ils se sont endormis, main dans la main, sur le sol, au son des voisins chantant leur douleur et leur peine. Étendue à côté d'eux, Clarine ne pouvait ni chanter ni dormir. Elle pensait à Hyacinthe, perdu.

Retour en arrière

- Quel est le moment fort de ce chapitre?

Regard sur l'avenir

- Prédis ce qui est arrivé à Hyacinthe.

Réflexion

- Comment les illustrations t'aident-elles à comprendre l'histoire?

Le jour se lève

Quels sont les plus grands problèmes que les gens réfugiés chez le docteur Préval doivent affronter?

Au lever du soleil, tout le monde s'est réveillé. Comme le soleil et le beau temps semblaient se moquer d'eux! Cinq ou six fois pendant cette longue nuit noire, il y avait eu des répliques, et tout le monde en avait eu le souffle coupé. Autour d'eux, ils avaient entendu des cris terrifiés. Est-ce qu'il y aurait encore plus de ravages? Heureusement, le groupe réuni dans le jardin était en sécurité. Mais les cris qu'ils entendaient et les bruits provenant de structures en train de s'effondrer dans les environs annonçaient qu'ailleurs il y avait encore des désastres. Une partie du mur du jardin était tombée dans la rue, sur les autos de Clarine et d'Hyacinthe! Comment allaient-ils se sortir de cet enfer?

Tout le monde était stressé, au bord de l'hystérie. Clarine ne parlait à personne. Ses yeux gonflés montraient qu'elle avait pleuré toute la nuit, inquiète pour Hyacinthe. Bertonie s'inquiétait pour sa famille et voulait aller voir s'ils étaient vivants, mais elle avait peur de quitter le jardin. Les enfants tremblaient et ne voulaient à aucun prix lâcher Mme Préval. Trois petites paires de mains s'étaient cramponnées à sa jupe pendant toute la nuit.

Antoine gémissait de douleur, et le docteur lui a donné des analgésiques. Mais il n'en avait pas beaucoup, et il savait bien que ses réserves ne dureraient pas longtemps. Tant d'autres personnes en avaient besoin! Le docteur avait peur aussi qu'Antoine ne souffre de complications. Les conditions étaient si peu sanitaires! Et coucher sur la terre froide pendant la nuit n'était pas bon du tout, ni pour lui, ni pour les autres blessés. Karine, couchée à côté d'Antoine, regardait son visage, gris de douleur, et souffrait en silence pour lui.

Les adultes sont allés fouiller dans les ruines de la maison pour trouver ce qu'ils pouvaient. La salle de bains était inutilisable, et il n'y avait pas d'eau. Les tuyaux étaient probablement perforés. Alors, ils ont creusé des latrines derrière l'abri de jardin à moitié effondré. Et le docteur a dit qu'il fallait utiliser l'eau de pluie stockée dans la citerne, normalement utilisée pour le jardin, pour se laver.

– Mais, chéri, a chuchoté Mme Préval, cette eau est probablement contaminée! Et les enfants…

Alors ils ont fait un feu avec quelques meubles et des arbres tombés, pour faire bouillir de l'eau dans des casseroles. Et ils ont mangé un peu de ce qui avait été récupéré dans le frigo. Des voisins ont apporté quelques restes trouvés dans leurs maisons effondrées, et chacun a eu un petit déjeuner. Mais tout le monde se regardait, puis regardait la nourriture qui restait. Il fallait aller en chercher plus, et trouver de l'aide! Mais qui allait soigner les blessés? Qui allait s'occuper des enfants?

Tout à coup, ils ont entendu un cri! Quelqu'un approchait! Clarine s'est levée, le cœur plein d'espoir. Est-ce que c'était Hyacinthe? Quelqu'un criait, en créole : « *Onè! Onè! Tout bagay anfom? Antoine Cyprien, ou byen?* » (Tout va bien? Antoine Cyprien, ça va?) Clarine s'est rassise, les larmes aux yeux. Ce n'était pas lui!

Tout le monde a couru voir qui c'était. Est-ce qu'on était venu les aider? Est-ce qu'ils étaient sauvés? Antoine a levé la tête, hébété. Qui l'appelait?

Le docteur est revenu avec quatre personnes, toutes en santé, ni blessées ni couvertes de poussière. Il y avait une femme et un homme d'un certain âge, et deux jeunes hommes. L'un d'eux est allé vers Antoine.

– Antoine, a-t-il dit en français, un peu hésitant, nous sommes tes cousins! Nous étions en route quand le tremblement de terre s'est produit. Nous avons dormi en chemin, à côté de notre camion, et maintenant nous sommes venus vous aider! Pauvre garçon, qu'est-ce qui t'est arrivé?

Tout le monde s'est mis à parler en même temps, en créole et en français, pour expliquer ce qui s'était passé. Les cousins se sont présentés, et ils ont dit qu'ils avaient de l'eau et de la nourriture, qu'ils étaient forts et qu'ils pouvaient aider à creuser, à transporter, à faire tout ce dont les gens avaient besoin. Leur véhicule était un gros camion de ferme, et il pouvait transporter beaucoup de gens, même des blessés. Le docteur et Mme Préval leur ont serré la main. Ils avaient si peur que personne ne vienne jamais à leur secours!

Arielle Gérald, la mère de la famille, s'est agenouillée près d'Antoine, et a caressé sa main et son épaule en murmurant des mots de réconfort en créole. Antoine était très ému! Elle ressemblait tellement aux femmes de sa famille que c'était comme si sa grand-mère ou sa mère était là pour le prendre dans ses bras. Son mari, Jean-Bruno, est aussi venu parler à Antoine et le rassurer.

– Il faut trouver un moyen d'aider les blessés, a dit Christophe, son cousin, en s'exprimant en français, et trouver un moyen de communiquer avec le reste du monde! Est-ce que quelqu'un a un cellulaire ou un ordinateur?

– Oh, comment est-ce que j'ai pu l'oublier! a crié Karine. Je vais aller voir s'il a survécu!

Elle a couru fouiller dans sa chambre. Quand elle est revenue, elle avait un grand sourire.

– Je l'ai trouvé! Et il est chargé, je l'ai fait hier soir! Je peux appeler mes parents avec Skype!

Elle a déposé l'ordinateur sur un bloc de ciment et l'a allumé. Bientôt ses parents étaient là, à l'écran! Ils pleuraient à chaudes larmes!

– Oh, tu es vivante! a dit sa mère. Oh, ma petite, tu es vivante! Grâce au bon Dieu, tu es vivante! Ils ont dit à la télé que Port-au-Prince et Léogâne étaient complètement détruites. J'avais tellement peur pour toi! Je pensais que tu étais morte!

Devant l'écran du portable, un grand silence horrifié s'était installé. Port-au-Prince détruite? Puis, tout le monde s'est mis à parler en même temps, à poser des questions. Les nouvelles étaient désastreuses! Le palais présidentiel s'était écroulé! Presque tous les hôpitaux étaient détruits ou fortement endommagés. Le siège social des Nations Unies et celui de Médecins Sans Frontières étaient détruits, et des centaines de personnes étaient mortes, incluant le chef de la mission de paix des Nations Unies à Haïti. Les communications téléphoniques étaient presque entièrement coupées et le service de téléphonie cellulaire éprouvait de sérieuses difficultés. L'aéroport était en mauvais état, et le port de Port-au-Prince n'était pas utilisable. Chaque mauvaise nouvelle tombait comme un coup de massue sur les têtes penchées devant l'ordinateur.

– Oh, maman, nous ne pouvons plus écouter ça! a finalement dit Karine. Je dois te dire au revoir! On est trop tristes! Et puis mon ordi va bientôt être à plat!

Elle a essayé de convaincre sa mère qu'elle allait bien, et elle l'a priée d'appeler la famille d'Antoine pour leur dire qu'il était vivant. Puis elle a fermé l'ordinateur, tremblant de la tête aux pieds.

Elle a regardé la petite foule réunie devant elle, qui était si bouleversée que personne ne pouvait parler.

– Oh, mon Dieu, qu'est-ce que nous allons faire? a dit le docteur. Qu'est-ce que nous allons devenir? Oh, mon Dieu.

Il a baissé la tête. Peu à peu, autour de lui, la famille, les amis, les voisins l'ont encerclé, et tout le monde a pleuré ensemble.

Retour en arrière

- Qui est arrivé? Pourquoi tout le monde était-il content de les voir?

Regard sur l'avenir

- Comment les cousins vont-ils aider les gens qui ont trouvé refuge chez le docteur Préval?

Réflexion

- Nomme une stratégie de lecture que tu utilises rarement et explique pourquoi.

Un nouvel espoir

Quelques longues minutes de désespoir se sont écoulées. Les Gérald essayaient de leur mieux de réconforter tout le monde en promettant que les gens de la campagne aideraient les résidents de la ville. Mais c'était si difficile! La plupart des gens réunis dans le jardin croyaient qu'ils étaient finis, que Port-au-Prince était finie, que le désastre était la fin de tout ce qu'ils aimaient.

Prédis ce que les Gérald feront pour améliorer la situation.

Tout à coup, on a entendu un cri vibrant venant de la rue. « *Anmwe! Anmwe! Nou beswen yon dokte*! » (Au secours! Au secours! Nous avons besoin d'un médecin!)

Un homme est entré dans le jardin en courant, les yeux exorbités, le visage couvert de poussière et de sueur. Ses mains saignaient et ses vêtements étaient déchirés et sales. Haletant, il s'est arrêté, répétant qu'il avait besoin d'un médecin, immédiatement, mais il soufflait tant qu'il ne pouvait pas expliquer ce qui se passait. Le docteur Préval est venu le calmer, et a demandé qui avait besoin d'un médecin, et pourquoi. Le pauvre homme, s'appuyant sur l'épaule solide de Christophe Gérald, a expliqué, avec difficulté, que lui et quelques hommes fouillaient dans les ruines du supermarché quand ils ont entendu des cris venant de sous les décombres.

Clarine a levé la tête d'un coup! Le supermarché? C'était là où Hyacinthe était allé avant le séisme pour acheter des boissons! Elle s'est précipitée vers l'homme d'un seul bond et l'a saisi par le bras.

– Vous avez trouvé quelqu'un? Vous avez trouvé un homme? a-t-elle crié.

– Oui! a dit l'homme, oui! Aïe! Mon bras!

Pendant quelques secondes, c'était la confusion totale! Tout le monde voulait aller aider! Finalement, M. Gérald a dit d'un ton ferme que seuls ceux qui étaient forts et pouvaient creuser iraient aider, et que les autres devaient rester chez les Préval pour veiller sur les enfants et les blessés.

Clarine s'est tournée vers lui en serrant les poings. Son joli visage souriant était méconnaissable, tordu de colère et de détermination.

– Moi aussi, j'y vais! J'y vais! Et vous ne pourrez pas m'arrêter! s'est-elle exclamée.

M. Gérald, surpris par son ton, a accepté et un groupe est parti avec des pelles et des haches. Le docteur a pris sa sacoche de visite, et a demandé à Karine de l'accompagner.

– Nous avons besoin de tous ceux qui ne sont pas blessés! a-t-il dit, et tu as un peu d'expérience médicale. Tu peux rester calme et aider Clarine à garder son sang-froid. J'ai besoin de toi! Rosemène, peux-tu diriger tout le monde ici, et veiller sur Antoine? Et préparer des couvertures pour de possibles blessés?

– Oui, bien sûr! a dit Mme Préval. Mais fais attention à toi, mon cœur! Clarine, ma chérie, je te souhaite bonne chance!

Le groupe est parti et a traversé péniblement les décombres amoncelées au bout de la rue. Il fallait passer entre les épaves de voitures et les maisons qui s'étaient écroulées, contourner les corps recouverts de draps étendus dans la rue et les petits groupes de gens effrayés, blottis les uns contre les autres. Deux ou trois fois, le docteur s'est arrêté quelques secondes dans le but d'aider quelqu'un. Mais l'homme qui était venu le chercher le tirait par le bras, répétant sans cesse : « *Non! Non! Nou beswen yon dokte!* »

En arrivant sur le site du supermarché, le spectacle qui s'offrait à eux leur a coupé le souffle! Le commerce n'était plus qu'une montagne de décombres faite de poutres d'acier, de blocs de ciment, de boîtes et de paquets ouverts, de lumières fracassées, dans laquelle une foule de gens désespérés fouillait frénétiquement pour trouver de la nourriture. Dans un coin, il y avait un trou dans le plancher, gardé par deux ou trois personnes qui avaient les mains en sang.

À ton avis, les gens avaient-ils le droit de prendre de la nourriture dans les ruines du supermarché? Justifie ta réponse.

Le groupe de sauveteurs a couru vers le trou, et le docteur Préval s'est couché par terre pour regarder par l'ouverture. Clarine, à côté de lui, criait : « Hyacinthe! Hyacinthe! Es-tu là? » Ils pouvaient voir un bras et une épaule, couverts de poussière et de sang, mais l'homme ne bougeait pas. Il ne répondait pas aux questions et semblait sans vie.

Aussi vite qu'ils le pouvaient, Christophe et son frère ont commencé à creuser. Peu à peu, ils ont sorti des décombres le corps d'un jeune homme, grièvement blessé. Il avait été écrasé par une poutre. Karine, en voyant son pauvre corps mutilé, s'est couvert la bouche, prise de nausées, et s'est penchée sur l'épaule de Clarine. Celle-ci était rigide, une vague froide de désespoir l'enveloppant de la tête aux pieds. Ce n'était pas Hyacinthe!

Une femme est venue se jeter sur le corps en criant et en pleurant. Le pauvre garçon était son fils. Folle de désespoir, elle berçait le corps dans ses bras, et Karine, les larmes aux yeux, voulait l'aider. Mais elle ne pouvait rien faire! C'était horrible! La seule chose qu'elle pouvait faire, c'était de trouver un morceau d'étoffe dans les débris pour couvrir le corps.

– Il y a grand trou ici! a crié le docteur.

L'espoir est revenu instantanément dans les cœurs de Clarine et de Karine. Derrière la poutre qui avait écrasé le jeune homme, il y avait une ouverture. Christophe, qui était le plus mince, s'y est glissé et a crié. Il a entendu une réponse! Très faible, mais il y avait bien quelqu'un!

Christophe a demandé à l'inconnu de prendre sa main, et, après une longue minute remplie d'anxiété, il a senti un contact! Tout le monde s'est remis à creuser sous la poutre avec l'énergie du désespoir. Ça semblait prendre des heures! Clarine a pris la main de Karine, répétant : « Oh, mon Dieu, s'il vous plaît! S'il vous plaît! »

Bientôt on a vu une tête apparaître dans l'ouverture! Le docteur et Christophe ont aidé l'homme à sortir. Il ne pouvait guère marcher, et il était couvert de poussière, mais... c'était bien Hyacinthe!

Clarine s'est élancée vers lui d'un seul bond, et Karine a couru l'aider. Tout le monde embrassait Hyacinthe. Le pauvre garçon! Il avait une jambe cassée, et il était

couvert de sang, de poussière, et de coupures causées par du verre cassé. Mais il était vivant! Et il souriait à travers sa douleur, embrassant Clarine et répétant : « *Mesi! Mesi! Oh, mesi!* »

Le docteur lui a fait une attelle avec des morceaux de boîtes en bois, et les Gérald ont trouvé une grande pièce de carton renforcé qui pouvait servir de brancard. Ils ont porté Hyacinthe jusqu'au jardin des Préval et l'ont installé à côté d'Antoine. Ce dernier était tellement content de voir son ami! Ils se sont serré la main, avec difficulté, et Antoine a dit : « Je suis si content de te voir! Mais comment as-tu survécu? Toute une nuit enterré! Comment as-tu pu? »

Hyacinthe, essayant de blaguer, a dit, la voix rauque et brisée :

– J'ai eu de la chance! Je suis tombé dans le rayon des boissons, alors j'ai passé la nuit à avaler des boissons gazeuses. Et je ne veux plus jamais de ma vie en boire! Du jus, du lait, de l'eau, d'accord! Mais jamais plus de boissons gazeuses!

Antoine et Hyacinthe ont ri, malgré la douleur qu'ils ressentaient, leur bonne humeur habituelle prenant le dessus. Clarine et Karine ont ri elles aussi avant de se mettre à sangloter. C'en était trop! C'en était vraiment trop!

Retour en arrière

- Raconte comment le groupe a sauvé Hyacinthe.

Regard sur l'avenir

- Que vont faire les Préval et leurs amis maintenant?

Réflexion

- Tu avais fait une prédiction sur le sort d'Hyacinthe. Est-ce que tu avais raison?

Des considérations sérieuses

Quelles sont les principales urgences pour le groupe?

Les Gérald se sont assis et ont demandé à toute la famille de venir s'asseoir avec eux à côté d'Hyacinthe et d'Antoine. C'était le moment de faire un plan. Christophe a pris la parole, parce qu'il pouvait parler français et que tout le monde comprendrait ce qu'il allait dire. C'était une chance qu'il ait étudié si fort pour pouvoir parler à ses cousins canadiens!

– Mes chers amis, a-t-il dit, il faut parler de ce que nous allons faire. Nous avons très peu d'eau et pas beaucoup de nourriture. Demain, nous ne pourrons plus nous alimenter. D'ailleurs, nous avons deux blessés, et je vois que mon cousin

Antoine souffre de plus en plus. Et... je ne veux vraiment pas parler de cela devant les enfants...

Il a regardé Mme Préval, mais celle-ci a secoué la tête.

– Non, a-t-elle dit, ils doivent rester auprès de moi. Ils ont trop peur. Continue! Ils n'écoutent pas vraiment.

Christophe les a regardés et a vu que Florence et Maxime dormaient sur les genoux de leur mère. Le brave petit Désiré, au contraire, le regardait droit dans les yeux, avec l'air si ferme et si adulte que Christophe a haussé les épaules.

– Eh bien, a-t-il continué, il faut aussi penser au danger lié aux maladies. Déjà, nous pouvons sentir l'odeur des corps dans les rues, et...

Il s'est interrompu de nouveau, et tout le monde s'est rendu compte que c'était vrai. Une odeur nauséabonde, plus forte que les odeurs de latrines et de corps sales, flottait déjà dans l'air. Comment cela allait-il être le lendemain? Et le surlendemain? Christophe a repris la parole.

– En tout cas, ce que nous voulons vous dire, c'est que nous offrons à tous ici un refuge. Vous pouvez tous venir vous installer dans notre maison à la campagne. Elle est assez grande pour tous, et, grâce à la famille de notre cousin, elle est en bon état. Nous avons assez de nourriture et d'eau pour tout le monde. Pas vrai, papa, maman?

Ses parents ont répété que oui, ils pouvaient accueillir tout le monde.

Regarde l'image. Que dit Christophe?

Le docteur était si ému par cette générosité qu'il ne pouvait rien répondre. Finalement, il a dit, d'une voix étranglée par l'émotion :

Est-ce que tout le monde acceptera d'accompagner les Gérald à la campagne? Sinon, qui restera à Port-au-Prince et pourquoi?

– Mais... vous êtes si bons! Je... je ne pourrai jamais assez vous remercier! Mettre ma famille en sécurité, c'est tout ce que je désire maintenant! Vous êtes si généreux! Le seul problème... Il a hésité, sachant bien que ses mots allaient blesser sa femme. Le seul problème c'est que... on va avoir terriblement besoin de médecins ici! Je dois vraiment rester, et aller voir ce qui s'est passé. Et aussi, a-t-il dit en montrant Hyacinthe et Bertonie, il y en a ici qui ont de la famille à Port-au-Prince. Il faut aller les chercher.

Tout le monde s'est mis à parler en même temps! Mme Préval a crié qu'elle ne quitterait jamais son mari. Bertonie a pleuré et a prié tout le monde de l'aider. Karine a essayé de dire qu'il fallait communiquer avec l'ambassade du Canada. Clarine a crié qu'elle voulait amener Hyacinthe dans sa famille à Cap-Haïtien, et qu'Annie viendrait avec elle, parce qu'elle avait de la famille là-bas! Il a fallu quelques minutes aux Gérald pour rétablir l'ordre et pour établir un plan logique.

Finalement, après une longue discussion, tout le monde a convenu d'un plan. Premièrement, ils ont communiqué avec la famille de Clarine avec l'ordinateur de Karine, pour leur dire qu'elle allait bien, et pour les prier de communiquer avec la famille d'Annie. Annie a poussé un long soupir de soulagement et a cessé de pleurer.

Ensuite, ils ont essayé de joindre l'ambassade, mais le site ne répondait pas. Alors, le docteur, la voix ferme, a dit :

– Alors, il n'y a pas d'autre solution. Demain, j'irai en voiture voir la situation à Port-au-Prince. Il est déjà un peu trop tard pour y aller aujourd'hui. Là où nous allons, c'était dangereux même avant le tremblement de terre. Je ne peux pas imaginer le désordre et la violence qui y règnent à présent. J'amènerai Bertonie avec moi.

Bertonie s'était levée d'un bond.

– Oh, merci, monsieur! a-t-elle dit. Merci beaucoup!

Elle l'a serré si fort dans ses bras qu'il ne pouvait plus parler pendant quelques secondes!

– J'essaierai aussi d'entrer en contact avec la famille d'Hyacinthe, a-t-il ajouté, et de voir si la clinique de Martissant existe encore. Si c'est le cas, je suis vraiment désolé, mais je devrai y travailler!

Il a refusé d'entendre les cris de protestation de ses amis et de sa famille.

– Non, a-t-il insisté, vraiment, c'est ce que je dois faire! Rosemène, les enfants et tous les autres iront à la campagne avec nos très bons amis, les Gérald, envers qui je serai toujours reconnaissant! Même si ce n'est que pour quelques jours, ce sera la solution parfaite à tous nos problèmes!

C'est alors qu'un des voisins a crié, en passant la tête dans l'entrée du jardin :

– Venez! Venez tous! On nous donne de la nourriture!

Tout le monde est sorti pour voir ce qui se passait! Quelle surprise! C'était un livreur de la pizzeria Muncheez! C'était si bizarre de le voir que personne ne parlait! Il a tendu des bracelets bleus en caoutchouc vers la famille et leurs voisins.

– Venez tous! a-t-il dit, avec un grand sourire. Le restaurant offre un repas à tous ceux qui présentent un bracelet. C'est gratuit! La génératrice va bientôt tomber en panne et nous allons perdre tout ce que nous avons dans les frigos, alors les propriétaires et les chefs préparent des pizzas pour en donner à tous ceux qui en ont besoin. Venez, ce n'est pas loin!

Ceux qui le pouvaient sont immédiatement allés chercher leur repas et ont rapporté des portions pour les blessés. Pour la première fois depuis le tremblement de terre, Florence a cessé de pleurer, et a même souri en recevant sa pointe de pizza et sa boisson.

– Je crois que c'est la meilleure pizza que j'aie mangée de toute ma vie! a dit Karine.

Christophe a proposé un toast à la limonade aux propriétaires de la pizzeria.

Karine et Antoine regardaient tout le monde lever sa bouteille de limonade en criant : « À Muncheez! » et s'émerveillaient une fois de plus du courage et de la détermination de leurs braves amis haïtiens! Mais est-ce que ce serait suffisant pour sauver tout le monde?

Il était déjà tard. On devrait dormir sur le sol au moins une nuit encore. Karine était inquiète pour Antoine. Lui aussi commençait à avoir peur. Il avait déjà un peu de fièvre, et il savait que c'était un très mauvais signe. Il respirait avec difficulté. Comment allaient-ils pouvoir sortir d'ici?

Retour en arrière

Retour en arrière

- Raconte dans tes propres mots pourquoi le docteur Préval a refusé d'aller chez les Gérald.

Regard sur l'avenir

- Va-t-on réussir à sauver Antoine et Hyacinthe?

Réflexion

- Le chapitre se termine sur une note sombre. Comment cela t'aide-t-il à prédire les événements du prochain chapitre?

La mission

Qu'est-ce qu'on se prépare à faire? Pourquoi Karine s'inquiète-t-elle?

Le lendemain matin, très tôt, le docteur et Bertonie se sont préparés à partir. Maurice Préval était allé vérifier que sa voiture était en état de circuler et qu'il serait capable de sortir de la rue où il l'avait laissée. Il a fait ses adieux à la famille, qui savait parfaitement que son voyage allait être difficile et dangereux. Comme c'était pénible pour lui de quitter sa famille! Et la séparation était tout aussi difficile pour sa femme, ses enfants et ses amis.

En apprenant que leur père et Bertonie allaient partir, Florence et Maxime s'étaient mis à sangloter. Ils semblaient inconsolables. Même Désiré pleurait, cachant son visage dans la jupe de sa mère. Celle-ci essayait de rester stoïque, de sourire à son mari et de l'embrasser, mais elle tremblait de la tête aux pieds et ses yeux étaient brillants de larmes.

Karine a regardé partir le docteur avec beaucoup d'appréhension. Qui allait soigner Antoine? Et Hyacinthe, qui commençait lui aussi à avoir de la fièvre? Le docteur avait laissé des médicaments pour les deux jeunes hommes, mais même Karine pouvait voir que ce n'était pas suffisant. Clarine, qui essayait de rester courageuse, parce qu'elle serait désormais la seule personne présente ayant quelques connaissances médicales, était folle d'inquiétude. Elle avait constaté qu'une des plaies d'Hyacinthe était rouge et commençait à enfler. Est-ce qu'elle était infectée? Ils n'avaient pas d'antibiotiques! Ils n'avaient même pas d'eau propre pour laver les plaies, ni d'alcool pour les désinfecter!

Pendant la journée, les Gérald ont commencé à organiser le transport de la famille. Il était évident que, même avec le camion, ils allaient devoir faire deux voyages ou attendre le retour du docteur avec sa voiture. Hyacinthe et Antoine devaient rester couchés pendant le voyage. Karine a essayé une fois de plus d'entrer en contact avec l'ambassade du Canada, parce qu'elle n'aimait pas du tout l'idée de transporter Antoine à la campagne. Le voyage le ferait sans doute atrocement souffrir, et où allaient-ils trouver de l'aide pour lui? La plupart des hôpitaux d'Haïti étaient à Port-au-Prince, et, d'après ce qu'ils avaient appris, ces bâtiments étaient détruits. Karine a revu en pensée l'Hôpital Maternité Solidarité, la garderie toute propre laissant entrer les rayons du soleil, et les petits lits des nouveaux-nés. Elle a ravalé un sanglot en pensant que l'hôpital s'était sans doute effondré. Elle ne pouvait pas aider ces pauvres patients qui avaient tant besoin d'aide! Elle ne pouvait pas aider Antoine! Elle se sentait coincée, inutile. C'était comme si on l'étouffait.

La journée semblait si longue! Il faisait chaud, et il n'y avait presque plus d'eau. Karine et Clarine avaient fabriqué une sorte de tente avec des draps, pour protéger Antoine et Hyacinthe, mais ils souffraient atrocement et la soif les tenaillait. Les enfants pleuraient presque sans cesse, et Mme Préval était sur le point de craquer. Elle ne pouvait pas arrêter de penser à son mari. Où était-il? Qu'est-ce qu'il faisait? Est-ce qu'il était en danger? Martissant était un endroit dangereux. Est-ce qu'il y aurait de la violence là-bas?

Deux fois, il y a eu des répliques. Deux fois, la terre a tremblé encore. Après, Karine avait mal au cœur et à la tête. Pendant les répliques, le pauvre Antoine avait crié de douleur. Ses côtes lui faisaient mal, et il respirait encore plus difficilement. La blessure d'Hyacinthe qui avait inquiété Clarine était infectée. Ça ne faisait plus de doute. Clarine pouvait voir du pus se former tout autour, et Hyacinthe était fiévreux. Il essayait de sourire à Clarine, mais il était de moins en moins cohérent. La jeune femme luttait pour rester calme, mais la sensation de panique augmentait. Comment pourrait-elle sauver ses deux amis? Elle n'arrivait plus à réfléchir!

Deux heures. Quatre heures. Cinq heures. Toujours pas de docteur!

Karine s'est penchée au-dessus d'Antoine pour essuyer son front en sueur et a vu avec horreur qu'il avait les yeux révulsés et qu'il délirait. Elle a tendu la main vers Clarine, pour qu'elle vienne voir, mais Clarine n'a pas pris sa main. Quand Karine s'est retournée, elle a vu que son amie avait posé la tête sur la poitrine d'Hyacinthe et qu'elle sanglotait, complètement désespérée. Et Karine a craqué!

– Non! Non! a-t-elle hurlé. Je dois faire quelque chose! Je ne vais pas les laisser mourir comme ça! Je dois aller chercher de l'aide!

À ton avis, cette décision de Karine est-elle sensée? Justifie ta réponse.

Les poings serrés, elle a sauté par-dessus les restes du mur et s'est élancée dans la rue.

– Au secours! Au secours! Pour l'amour de Dieu, au secours!

Mme Préval a essayé de la retenir mais, ses enfants accrochés à ses vêtements, elle n'a pas pu et l'a regardée partir, impuissante. Karine a entendu les cris de Mme Préval mais elle ne s'est pas arrêtée. Elle ne savait pas où elle allait. Elle trébuchait sur des débris, se heurtait contre des gens qui essayaient de l'arrêter, tombait et se relevait. Elle n'avait plus le sens du temps et n'avait aucune idée de combien de minutes ou d'heures s'étaient écoulées depuis qu'elle avait quitté le jardin. Elle était folle d'anxiété et de rage.

Enfin, dans une des plus grandes rues, elle a dû s'arrêter. À bout de souffle, elle restait figée sur place, penchée vers le sol, les mains sur les genoux, ses larmes traçant de petits sillons dans la terre sèche. Elle a entendu un grondement de moteurs, et elle a relevé la tête. Entre ses larmes, elle a vu un camion. Un grand camion qui faisait partie d'un convoi de plusieurs véhicules semblables. Ils affichaient une croix rouge! Et l'inscription *República Dominicana : Servicio de Urgencia.*

Comment expliques-tu que des gens de la République dominicaine soient arrivés si tôt après le tremblement de terre?

Est-ce que c'était vrai? Est-ce qu'on leur avait envoyé de l'aide? D'un pas chancelant, Karine s'est approchée du camion. Elle ne pouvait plus crier. Elle chuchotait d'une voix rauque : « Au s... se... cours! » Sa tête tournait. Des visages inquiets tournoyaient devant ses yeux. Leurs bouches s'ouvraient et se fermaient, mais le tintement dans ses oreilles l'empêchait d'entendre ce qu'elles disaient.

Elle a senti des mains sur ses bras, des mains à la fois douces et solides qui la soutenaient. Elle a vu devant elle le visage d'un homme et a vu qu'il portait un uniforme. À bout de forces, elle s'est évanouie dans les bras d'un soldat dominicain.

Retour en arrière

- Qu'est-ce que Karine a fait et pourquoi? Qui a-t-elle rencontré?

Regard sur l'avenir

- Que vont faire les Dominicains pour aider le groupe?

Réflexion

- Relis le chapitre en essayant de visualiser le trajet de Karine dans la rue. Comment la visualisation et la deuxième lecture t'aident-elles à comprendre ce qui se passe?

Du secours

Dans le jardin des Préval, la confusion s'était installée. Karine était toujours si calme, si gentille, prête à aider sans compter! La voir craquer avait bouleversé tout le monde, même les Gérald. En comprenant qu'elle s'en allait, Antoine avait émis un halètement rauque, ses yeux revenant à leur place, et avait essayé de se lever, chuchotant : « K... K... Karine! N... ne me... » Mme Gérald s'était approchée de lui pour tenter de le calmer.

Qui va aider la famille Préval et ses amis?

– Mais allez la chercher! a crié Mme Préval. Allez-y! Moi je ne peux pas, je dois rester avec les enfants! Oh, la pauvre petite, elle est en train de devenir folle!

Après quelques secondes d'étonnement pendant lesquelles il regardait le mur du jardin, bouche bée, Christophe a crié : « J'y vais! Je la trouverai! » Il a sauté par-dessus les restes du mur à son tour et est parti en courant. Il courait vite, mais il était difficile de voir Karine parmi les gens qui se lamentaient, les corps et les montagnes de débris. M. Gérald a demandé à son deuxième fils d'aller aider Christophe. Il avait peur que Karine ou Christophe ne tombent et ne se blessent, et qu'ils restent coincés dans les rues bloquées.

Il s'est préparé pour le retour des jeunes. Il est allé chercher de l'eau dans la citerne. Elle était sale, chaude et pleine d'insectes, mais si on la faisait bouillir, ils pourraient au moins avoir quelque chose à boire. Il a aussi envoyé Annie chercher des bouteilles d'alcool dans la maison. Il savait que la plupart étaient cassées, mais peut-être qu'elle en trouverait une pour nettoyer les plaies d'Hyacinthe. Il est allé réconforter Clarine, l'a prise dans ses bras et lui a dit qu'ils allaient à la clinique et que, même si elle était bondée, ils pourraient peut-être trouver des antibiotiques. Clarine essayait de garder son calme, mais elle savait bien que dans ces conditions la clinique n'aurait plus rien.

Qu'est-ce que le docteur pensera en examinant Antoine et Hyacinthe?

C'est à ce moment qu'un petit groupe est entré dans le jardin. C'était le docteur, avec Bertonie, un homme et deux enfants! Mme Préval a poussé un cri de soulagement et a couru se jeter dans les bras de son mari, les enfants accrochés à elle. Tout le monde est

sorti de la stupeur et de la déprime causées par le départ soudain de Karine. Peut-être qu'il y aurait de bonnes nouvelles! Ou de l'aide!

Le docteur a demandé ce qui s'était passé pendant la journée et a pris des nouvelles des deux blessés. On lui a expliqué la situation. Il est allé immédiatement voir les deux jeunes hommes, sachant que, si Karine avait craqué, Antoine devait être très mal en point. Ce qu'il a vu lui a donné un choc terrible! Antoine délirait et respirait difficilement. Hyacinthe avait une fièvre intense et plusieurs plaies infectées. Les mains du docteur tremblaient. Il ne savait pas quoi faire. Il savait bien que les deux jeunes hommes avaient besoin d'antibiotiques, sans quoi ils allaient mourir. Antoine avait probablement une pneumonie, facile à guérir avec des antibiotiques mais souvent mortelle sans traitement. Il ne survivrait sûrement pas s'il passait une autre nuit couché sur le sol, sans soins. Le docteur comprenait à présent pourquoi Karine avait réagi ainsi!

Pendant qu'il examinait Antoine et Hyacinthe, Mme Gérald s'est approchée de Bertonie, qui pleurait à fendre l'âme. Elle l'a bercée dans ses bras, chuchotant des paroles de réconfort à son oreille et écoutant ce qu'elle racontait péniblement entre les sanglots. Mme Gérald a regardé Mme Préval, l'horreur et la peine imprimées sur son visage. La mère et les deux sœurs de Bertonie étaient mortes, écrasées sous leur maison. Ils avaient ramené avec eux son père et les deux enfants de sa sœur. On n'avait pas trouvé de traces des parents d'Hyacinthe! Leur maison était à moitié détruite, mais il n'y avait personne, et il régnait un tel désordre dans le voisinage que personne ne pouvait leur dire où ils étaient allés, ni s'ils n'étaient pas enterrés sous les décombres de leur maison!

Clarine, en entendant la nouvelle, a mis la main sur sa bouche, essayant de retenir ses larmes.

– Nous ne pouvons pas le lui dire! a-t-elle chuchoté. Il est si malade, ça l'achèverait! Oh, qu'est-ce que nous allons faire?

Le docteur est venu leur parler, et lui aussi chuchotait.

– Je suis d'accord, on ne peut pas lui dire que ses parents ont disparu, a-t-il dit. Mais qu'est-ce que nous pouvons faire? Ces pauvres garçons ont besoin de médicaments, et je n'en ai pas! La clinique de Pétionville est ouverte, mais elle est pleine à craquer, et il n'y a presque plus de médicaments.

Clarine a étouffé un sanglot. Son dernier espoir venait de disparaître!

– Ma clinique est ouverte à Martissant, a continué le docteur. C'est ironique, il y a eu beaucoup moins de dommages là-bas, parce que les maisons sont peu solides. La clinique est pleine, comme toujours, mais heureusement, il y a encore des médicaments. Par contre, Antoine et Hyacinthe ne survivraient jamais au voyage en voiture jusque là! Il nous a fallu trois heures pour traverser la ville, et ils ne pourraient jamais rester assis pendant tout ce temps!

Tout le monde s'est regardé, désemparé. Leurs problèmes semblaient insurmontables. Maintenant, il fallait aussi s'occuper de la famille de Bertonie, les pauvres enfants qui regardaient dans le vide, les yeux fixes, et le père, en état de choc, qui n'arrivait pas à prononcer un seul mot. Les Gérald voulaient aider, mais ils savaient maintenant, eux aussi, qu'Antoine et Hyacinthe avaient besoin de beaucoup plus qu'un refuge dans leur maison. Pendant un moment, tout le monde est resté figé sur place, inerte, incapable de penser à des solutions. C'était le comble, la fin!

Soudain, on a entendu des voix à l'extérieur du jardin! Christophe et son frère ont sauté par-dessus le mur, et ils avaient tous deux un si grand sourire que les pauvres gens rassemblés dans le jardin pensaient avoir une hallucination! Karine était derrière eux, faible et pâle, mais souriante elle aussi.

– Nous sommes sauvés! a crié Christophe. Nous sommes vraiment sauvés!

Il a aidé une équipe de soldats et de médecins dominicains à entrer dans le jardin.

Retour en arrière

- Qu'est-ce qui a suggéré qu'il n'y avait aucun espoir? Comment cela a-t-il changé à la fin du chapitre?

Regard sur l'avenir

- Prédis ce qui va arriver dans le prochain chapitre.

Réflexion

- Est-ce que la plupart de tes prédictions étaient exactes? À propos de quoi t'es-tu trompé(e)?

Sauvés

L'espoir était soudainement revenu! Le docteur a poussé un immense soupir de soulagement et a passé ses mains sur son visage, retenant ses larmes. Finalement, il aurait de l'aide. Les Gérald, Karine derrière eux, ont entraîné sans tarder les médecins vers Antoine et Hyacinthe, expliquant leur condition et leurs blessures. En voyant Antoine et en entendant sa respiration, l'un des médecins a immédiatement compris la situation. Il a fait une piqûre d'antibiotiques à Antoine, une autre à Hyacinthe, et a sorti de son sac des pansements et de l'alcool pour nettoyer les plaies d'Hyacinthe.

Qui vient d'arriver avec Christophe?

Le chef de l'équipe, qui parlait français mais pas le créole, a pris le contrôle de la situation et a écouté l'histoire de chaque personne. Il voulait organiser de l'aide pour tout le monde, mais il était pressé de régler la situation afin d'aller porter secours à d'autres personnes en détresse.

– On les transportera chez nous aussi vite que possible. Faites-les monter dans le camion d'urgence! Qui les accompagnera?

Clarine s'est tout de suite proposée, expliquant qu'elle était infirmière et qu'elle pouvait veiller sur eux.

– Excellent! a répondu le chef. Nous avons besoin de toute l'aide médicale que nous pouvons trouver. Alors, ce sera vous. Nous n'avons pas de place pour d'autres.

En entendant ces paroles, Karine a crié de toutes ses forces :

– Non! Attendez! Attendez! Je dois... je veux dire...

Elle regardait l'expression de regret du chef, et elle a tout à coup pensé à sa première idée de rescousse.

Comment le Dominicain répondra-t-il à la demande de Karine?

– Nous sommes canadiens, monsieur! Moi, et Antoine, et le docteur! Canadiens! Est-ce que vous pouvez nous emmener à l'ambassade? Ils nous aideront! J'en suis sûre!

Le chef l'a regardée, surpris.

- Canadiens? Alors, vous avez raison. Sánchez! *Llame por favor a la embajada canadiense! Tenemos otros aquí!* (Appelez l'ambassade du Canada! Nous en avons d'autres ici!)

Il a souri à Karine, qui l'a regardé, le cœur battant.

- Vous avez de la chance, mademoiselle, messieurs! Nous avons deux autres Canadiens blessés ici, et nous allions les emmener à l'ambassade! Vous allez pouvoir les accompagner.

Sánchez est venu lui parler et, après l'avoir écouté, le chef s'est retourné vers Karine et lui a fait un sourire si grand que le cœur de la jeune fille a failli exploser de bonheur!

- Une excellente nouvelle! Il y a un avion qui part pour le Canada dans quelques heures, et il y a de la place pour vous et pour votre camarade à bord. Nous vous donnerons assez d'antibiotiques pour le voyage, et vous allez être chez vous avant demain matin!

Karine ne pouvait plus respirer! Antoine serait soigné dans un hôpital au Canada! Elle a couru lui annoncer la bonne nouvelle : « Antoine! Antoine! Tu es sauvé! On nous ramène au Canada! Tu es sauvé! »

Antoine, qui se sentait déjà un peu mieux mais qui ne comprenait pas très bien ce qui se passait, a essayé de sourire.

Maintenant, le chef discutait avec les Préval.

– Monsieur, vous êtes citoyen canadien? Oui? Alors, vous savez que vous avez le droit, vous et votre famille, d'aller au Canada aussi. Si vous avez vos passeports, il n'y a pas de problème. Vous allez probablement attendre un peu, mais...

Est-ce que le docteur Préval ira au Canada? Justifie ta réponse.

Le docteur l'a interrompu, une main en l'air.

– Merci, monsieur. Merci beaucoup. Mais... Je ne peux pas quitter mon pays. Non, je ne peux pas! Et ma famille ...

Il s'est tourné vers sa femme.

Mme Préval, belle et digne malgré les épreuves qu'elle venait de traverser et la terreur qu'elle avait éprouvée, s'est dressée de toute sa hauteur et a dit tranquillement, mais fermement :

– Je suis d'accord, Maurice. Nous ne quitterons pas notre pays! Grâce à nos très bons amis, nous avons un refuge. Non. Moi, les enfants et Annie,

Bertonie et sa famille, nous irons à la campagne, chez les Gérald, et nous nous remettrons. Et, Maurice…

Le docteur l'a regardée, étonné. Il n'avait jamais entendu une voix si ferme, vu une détermination si forte chez sa femme si gentille et si douce.

– Oui, mon cœur? a-t-il dit.

– Tu nous accompagneras chez les Gérald, jusqu'à ce que tu aies un endroit convenable pour te loger. C'est trop dangereux ici, et il n'y a ni eau, ni nourriture, ni électricité. Si Médecins Sans Frontières te trouve un endroit où habiter, tu pourras rester. Mais, en attendant, tu nous accompagneras!

Il était évident par son ton qu'elle n'accepterait aucun argument, aucune excuse de la part de son mari. Le docteur, si accoutumé à donner des ordres à l'hôpital, ne trouvait pas autre chose à dire que : « Oui, mon cœur. Comme tu voudras. »

Mme Gérald, qui avait écouté la traduction que Christophe lui chuchotait, s'est mise à rire. Son mari a haussé les épaules et a dit quelque chose à Christophe, qui a traduit pour tout le monde.

– Mon père dit que, à Haïti, c'est toujours les femmes qui ont le dernier mot!

Un peu hésitantes au commencement, toutes les personnes présentes, même le chef de l'équipe de secours, se sont mises à rire! Les soldats les ont regardées, surpris. Le courage des Haïtiens et leur force de caractère les émerveillaient!

Retour en arrière

- Où vont aller Karine et Antoine? Pourquoi est-ce que le docteur Préval et Rosemène n'y vont-ils pas?

Regard sur l'avenir

- Karine et Antoine regretteront-ils leur décision?

Réflexion

- Trouves-tu cette histoire plus facile à comprendre qu'au début? Pourquoi, à ton avis?

Les adieux

C'était l'heure de partir. Tout le monde se dépêchait de ramasser quelques vêtements et fouillait dans les débris à la recherche des passeports et des objets précieux qu'on ne voulait pas laisser là. Les Gérald ont pris quelques jouets pour les enfants et ont réussi à trouver des cellulaires et des articles de toilette.

On n'avait pas beaucoup de temps pour se préparer! Karine a dit aux Préval de garder tout ce qu'ils trouveraient, ses affaires personnelles et celles d'Antoine. Antoine, la voix rauque, haletant et toussant, a promis aux Gérald que sa famille enverrait de l'argent dès que possible. Karine, soupçonnant les difficultés qu'ils auraient pour communiquer avec la famille d'Antoine, a donné son ordinateur aux Préval. Au moins, ils pourraient entrer en contact!

Karine et Antoine se sentaient tout à coup tristes et délaissés. Ils savaient qu'ils devaient quitter Haïti, qui n'avait vraiment pas, en ce moment, les ressources nécessaires pour soigner Antoine. Mais comment est-ce qu'ils pourraient quitter cette famille et ces amis, si chers, avec lesquels ils avaient vécu tant de choses et qui avaient tellement besoin de leur soutien? Comment est-ce qu'ils pourraient laisser derrière eux le travail qu'ils auraient tant voulu poursuivre? Karine a pensé aux enfants et aux mères en détresse qui avaient, plus que jamais, besoin de son aide. Antoine, qui a finalement réussi à comprendre ce qui se passait, sentait son cœur se déchirer. Son pays! Son travail! Ses cousins, qu'il venait à peine de rencontrer, et qui avaient été si généreux et si forts! Ses amis, qui s'en allaient dans un autre pays! Est-ce qu'il reverrait jamais Hyacinthe, son camarade?

Clarine est venue embrasser Antoine et Karine, et a glissé dans la poche de Karine un papier avec son adresse à Cap-Haïtien.

– Je n'ai rien d'autre à t'offrir, ma très chère amie! Tu as été merveilleuse! Bonne chance!

Antoine et Hyacinthe se sont serré la main en grimaçant de douleur, incapables de faire plus. Les soldats ont déposé Hyacinthe sur un brancard et l'ont transporté hors du jardin. Clarine a embrassé, un à un, les Préval, les Gérald, Annie et Bertonie, et a suivi Hyacinthe, son petit sac sur le dos.

C'était maintenant au tour d'Antoine de se préparer. Il allait voyager dans un camion avec les autres Canadiens blessés, Karine à ses côtés. La jeune femme s'inquiétait pour lui. Elle savait que, même avec le soutien des Dominicains et les antibiotiques qu'ils lui avaient administrés, le voyage serait difficile pour lui. Dans quel état serait-il quand ils arriveraient au Canada? Où iraient-ils? Elle ne savait même pas dans quelle région du Canada l'avion se poserait!

Les Préval, les Gérald, Annie et Bertonie sont venus embrasser les deux jeunes. Karine a dit mille fois : « Merci! Merci beaucoup! Je vous aime tellement! » Elle a serré dans ses bras les enfants, Florence et Maxime qui pleuraient en voyant partir cette amie si gentille, et Désiré, qui essayait de ne pas pleurer, comme le petit homme qu'il était toujours.

Antoine essayait de dire aux Gérald son bonheur de les avoir rencontrés et sa tristesse de les quitter, mais il ne trouvait pas les mots. Mme Gérald, les larmes aux yeux, l'a embrassé et l'a serré tendrement dans ses bras. M. Gérald et ses fils se sont approchés pour lui faire leurs adieux. Christophe a dit, le serrant à son tour dans ses bras : « Nous nous reverrons, mon cher cousin! Bientôt, nous nous reverrons! » Antoine priait le ciel qu'il ait raison. Se séparer de ses cousins sans avoir eu le temps de les connaître était si difficile, d'autant plus qu'ils étaient si bons, si gentils, si généreux! Christophe avait le même âge que lui et pourrait certainement être un ami aussi proche qu'Hyacinthe. Il voulait rester avec eux! Mais il ne pouvait pas.

Heureusement, il avait sa Karine...

Pendant tout le reste de cette longue nuit, pendant la traversée cauchemardesque des rues défoncées de Port-au-Prince menant à l'ambassade, pendant l'attente pour l'autobus qui les amènerait à l'aéroport, et pendant le voyage de retour vers le Canada, il y avait Karine. Gentille, brave, et toujours prête à prendre soin de lui et à le réconforter, voyant qu'il souffrait, non seulement dans son corps, mais aussi dans son esprit, le désespoir et la culpabilité le rongeant. Il se disait qu'il devrait rester à Haïti! Il y avait tant de travail à faire! Il n'avait même pas complété le tiers de son stage à Martissant!

Karine devinait et comprenait ses sentiments. Elle les éprouvait aussi, et encore plus intensément, parce qu'elle était en parfaite santé. Mais elle ne pouvait pas laisser Antoine faire ce terrible voyage tout seul! Il avait besoin d'elle!

Pendant que l'avion atterrissait à Montréal, elle a pris la main d'Antoine dans la sienne, et l'a embrassé. Elle a trouvé les mots justes pour le réconforter, et pour se donner de la force à elle-même aussi.

– Antoine, a-t-elle dit, ne te décourage pas! Tu vas reprendre des forces! Tu vas déjà mieux, malgré le voyage! Tu peux parler, et tu respires mieux! Dès que tu seras remis, nous y retournerons! Je te le promets! Nous y retournerons ensemble, et nous ferons notre travail! Et même au Canada, nous pourrons travailler de toutes nos forces pour obtenir de l'aide pour nos amis. Nous dirons à tout le monde ce que c'est vraiment, Haïti. Le bon et le mauvais! Nous révélerons à tous qu'Haïti a des trésors, qu'on n'y trouve pas que de la souffrance et de la misère. Son trésor, c'est son peuple. Nous le savons bien! Et nous y retournerons!

Antoine a poussé un grand soupir et a souri franchement.

– Aïe, Karine! Je t'aime tellement! Tu es aussi forte qu'une vraie Haïtienne! Et tu as raison!

– Je t'aime aussi! Tu sais, c'est à Haïti que j'ai appris à être forte. Nous y retournerons!

– C'est certain, a dit Antoine, le regard sombre de nouveau. Il y a tant à faire.

Retour en arrière

- À ton avis, Karine et Antoine retourneront-ils à Haïti? Explique ta réponse.

Regard sur l'avenir

- Quelles stratégies de lecture t'ont été les plus utiles?

Épilogue

Le travail à faire :

Pendant le tremblement de terre, tous les bâtiments des ministères du gouvernement se sont écroulés. Plus de 15 % des fonctionnaires du gouvernement sont morts.

60 % des hôpitaux d'Haïti ont souffert de graves dommages. 10 % de leur personnel a été tué ou a quitté le pays.

80 % des bâtiments des universités et 20 % des écoles ont été détruits.

Le bâtiment de la Cour nationale et la plus grande prison se sont écroulés. La plupart des prisonniers, parmi eux beaucoup de criminels violents, se sont échappés.

80 % des commerces du pays étaient à Port-au-Prince ou dans les environs. La plupart ont été détruits. 20 % des emplois ont été perdus.

Le séisme a fait 300 000 morts et 1,5 million de sans-abri. La majorité d'entre eux vivent maintenant dans des camps, sous des tentes, sans système sanitaire ni électricité.

70 % des bâtiments de Jacmel ont été détruits.

En juillet 2010, 98 % des débris jonchaient encore les rues.

Lexique

n.m. : nom masculin	**v. : verbe**
n.m.pl. : nom masculin pluriel	**prép.** : préposition
n.f. : nom féminin	**expr.** : expression
n.f.pl. : nom féminin pluriel	**pron.** : pronom
adj. : adjectif	**interj.** : interjection
adv. : adverbe	**conj.** : conjonction

a

l'abeille (n.f.)	bee
l'abri (n.m.)	shelter
accoucher (v.)	to give birth
accoutumer à (v.)	to get used to
accueillant, accueillante (adj.)	welcoming
accueillir (v.)	to welcome
acharné, acharnée (adj.)	strenuous
l'acier (n.m.)	steel
âcre (adj.)	acrid, pungent
afin de (prép.)	in order to
affreux, affreuse (adj.)	frightful
s'agenouiller (v.)	to kneel
l'ail (n.m.)	garlic
ailleurs (adv.)	elsewhere
l'aise : à l'aise (expr.)	at ease, comfortable
alimenter (v.)	to feed
l'allumette (n.f.)	match
l' ambassade (n.f.)	embassy
l'ambiance (n.f.)	atmosphere
améliorer (v.)	to improve
l'amertume (n.f.)	bitterness
l'ancêtre (n.m.f.)	ancestor
apercevoir (v.)	to notice
s'appuyer (v.)	to lean on
l'artisanat (n.m.)	handicrafts
l'assistance (n.f.)	the people present
assourdi, assourdie (adj.)	deafened
atrocement (adv.)	ferociously
l'attelle (n.f.)	splint
l'attente	wait
atterrir (v.)	to land
attraper (v.)	to catch
augmenter (v.)	to increase
auparavant (adv.)	before, earlier
aussitôt que (conj.)	as soon as
autant de (adv.)	as many
avaler (v.)	to swallow
avertir (v.)	to warn
l'avertissement (n.m.)	warning

b

le bain (n.m.)	bath
baisser (v.)	to lower
balbutier (v.)	to stammer
la balle (n.f.)	bullet
la bande (n.f.)	gang
la banlieue (n.f.)	suburb
bas : en bas (adv.)	below
battre (v.)	to beat up, to fight
bercer (v.)	to cradle
le bidonville (n.m.)	slum
la binette (n.f.)	hoe
la blague (n.f.)	joke
blessant, blessante (adj.)	hurtful
blessé, blessée (adj.)	injured
la blessure (n.f.)	wound, injury
blotti, blottie (adj.)	pressed
boisé, boisée (adj.)	wooded
la boisson gazeuse (n.f.)	soft drink
la boîte à lunch (n.f.)	lunch box
la boîte de conserve (n.f.)	tin can
le bol (n.m.)	bowl
le bond (n.m.)	leap
bondé, bondée (adj.)	plugged with traffic
bondir (v.)	to leap
bouche bée (expr.)	speechless
la bouchée (n.f.)	mouthful
boueux, boueuse (adj.)	muddy
bouger (v.)	to move
bouillir : faire bouillir (v.)	to boil
bouleversé, bouleversée (adj.)	overwhelmed
bourdonner (v.)	to buzz
le bout (n.m.)	end
le brancard (n.m.)	gurney
bref, brève (adj.)	short
la brise (n.f.)	breeze
brisé, brisée (adj.)	broken
le bûcheron (n.m.)	forester

c

la cabane (n.f.)	shack
cadet, cadette (adj.)	younger, youngest
le camion (n.m.)	truck
la camionnette (n.f.)	van
la cannelle (n.f.)	cinnamon
le caoutchouc (n.m.)	rubber
le carton (n.m.)	cardboard
la casserole (n.f.)	cooking pot
le cauchemar (n.m.)	nightmare
cause : à cause de (prép.)	because of
la ceinture de sécurité (n.f.)	seat belt
le cellulaire (n.m.)	cellphone
censé, censée : être censé (expr.)	to be supposed to
la centaine (n.f.)	hundred
cesser de (v.)	to stop
la chaleur (n.f.)	warmth
chaleureux, chaleureuse (adj.)	warm
chancelant, chancelante (adj.)	unsteady
chanceux, chanceuse (adj.)	fortunate
la chandelle (n.f.)	candle
se changer (v.)	to change clothes
la cheville (n.f.)	ankle
la chèvre (n.f.)	goat
le choc (n.m.)	shock
choyé, choyée (adj.)	pampered
chuchoter (v.)	to whisper
le chum (n.m.)	boyfriend
la circulation (n.f.)	traffic
la citerne (n.f.)	cistern
le, la citoyen, citoyenne (n.m.f.)	citizen
la citrouille (n.f.)	pumpkin
coincé, coincée (adj.)	stuck
la colère (n.f.)	anger
le comble (n.m.)	the last straw
le commerce (n.m.)	business
compris : y compris (expr.)	including

compte : se rendre compte (v.) to realize
confisquer (v.) to seize
le conflit (n.m.) conflict, fight
congé : le jour de congé (expr.) day off
congelé, congelée (adj.) frozen
conscient, consciente (adj.) aware
conseiller (v.) to advise
les conseils (n.m.pl.) advice
la consigne (n.f.) orders
constamment (adv.) constantly
constater (v.) to notice
le conte de fée (n.m.) fairy tale
contourner (v.) to bypass
la contre-marée (n.f.) undertow
convaincre (v.) to convince
convenable (adj.) appropriate, suitable
le cordon (n.m.) umbilical cord
la côte (n.f.) coast, rib
côté : à côté de (prép.) beside
la couche (n.f.) diaper
le coucher du soleil (n.m.) sunset
couler (v.) to flow
le coup (n.m.) blow
couper (v.) to cut off
la coupure (n.f.) cut
le courriel (n.m.) e-mail
le court-circuit (n.m.) short circuit
la couverture (n.f.) blanket
cramponner (v.) to hang on to
la crasse (n.f.) filth
créer (v.) to create
creuser (v.) to dig
la crevette (n.f.) shrimp
la crise de nerfs (n.f.) breakdown
crisper (v.) to tense
croître (v.) to grow
la croix (n.f.) cross
croquer (v.) to munch
la croûte (n.f.) crust
le crustacé (n.m.) shellfish
la cuisse (n.f.) thigh
cuit, cuite (adj.) cooked
le cul-de-sac (n.m.) dead end
la culpabilité (n.f.) guilt

d

davantage (adv.) more
debout (adv.) standing
se débrouiller (v.) to manage
la déception (n.f.) disappointment
les déchets (n.m.pl.) garbage, waste
déchirer (v.) to tear
se décider (v.) to make up one's mind
le décombre (n.m.) rubble, debris
déconseiller (v.) to not suggest
déçu, déçue (adj.) disappointed
dedans (adv.) in it
défaire les bagages (v.) to unpack
défoncé, défoncée (adj.) smashed
le dégât (n.m.) damage
délaissé, délaissée (adj.) abandoned
se dépêcher (v.) to hurry
se déplacer (v.) to get around
déprimant, déprimante (adj.) depressing
déranger (v.) to disturb
dérouler (v.) to develop
le désespoir (n.m.) desperation
désormais (adv.) in future
se détendre (v.) to relax
la détresse (n.f.) distress
détruire (v.) to destroy
deviner (v.) to guess
digne (adj.) dignified
se diriger vers (v.) to go towards
dispos, dispose (adj.) full of energy
la dispute (n.f.) argument
se divertir (v.) to have fun

le, la domestique (n.m.f.) house servant
les dommages (n.m.pl.) damages
le dos (n.m.) back
la douche (n.f.) shower
la douleur (n.f.) pain
le drap (n.m.) sheet
se dresser (v.) to stand up straight
le droit (n.m.) law
dure : à la dure (expr.) roughly
dure, dure (adj.) hard
durer (v.) to last

e

écart : à l'écart (adv.) isolated
s' échapper de (v.) to escape from
éclater (v.) to burst out
écœuré, écœurée (adj.) nauseated
les écouteurs (n.m.pl.) headset
l'écran (n.m.) screen
écraser (v.) to crush
s'écrier (v.) to cry out
s'écrouler (v.) to crumble, to fall apart
s'effondrer (v.) to collapse
effrayant, effrayante (adj.) frightening
effrayé, effrayée (adj.) frightened
l'égatignure (n.f.) scratch
l'égout (n.m.) sewer
élargir (v.) to widen
élire (v.) to elect
émacié, émaciée (adj.) emaciated
emmener (v.) to take (someone)
l'émoi (n.m.) emotion
s'emparer de (v.) to seize
empêcher (v.) to prevent
emporter (v.) to take away
ému, émue (adj.) moved
enceinte (adj.) pregnant
encombré, encombrée (adj.) obstructed
l'enfance (n.f.) childhood
l'enfer (n.m.) hell
engourdi, engourdie (adj.) swollen
énormément (adv.) enormously
ensanglanté, ensanglantée (adj.) covered in blood
enseigner (v.) to teach
ensevelir (v.) to bury
enterré, enterrée (adj.) buried
entonner (v.) to intone
entouré, entourée de (adj.) surrounded with
s'entraider (v.) to help each other
entreprendre (v.) to undertake
l'entreprise (n.f.) business
entretenir (v.) to maintain
envers (prép.) towards
l'épaule (n.f.) shoulder
épavé, épavée (adj.) wrecked
l'épice (n.f.) spice
l'épicerie (n.f.) grocery store
épouvantable (adj.) horrible
éprouver (v.) to experience, to feel
l'épuisement (n.m.) fatigue
l'équipe (n.f.) team
errer (v.) to wander
l'esclave (n.m.f.) slave
l'espadrille (n.f.) running shoe
l'espoir (n.m.) hope
l'esprit (n.m.) mind, spirit
essayer de (v.) to try to
essuyer (v.) to wipe
l'étage (n.m.) storey
l'état (n.m.) condition
étendre (v.) to stretch
l'étendue (n.f.) extent
l'étoffe (n.f.) cloth
étonné, étonnée (adj.) astonished
étouffer (v.) to stifle
étranger : à l'étranger (expr.) in a foreign country
l'étranger, étrangère (n.m.f.) foreigner, outsider

s'évanouir (v.)	to faint
éviter (v.)	to avoid
exorbité, exorbitée (adj.)	bulging

f

face : faire face à (expr.)	to face
faible (adj.)	weak
la faute (n.f.)	fault
féliciter (v.)	to congratulate
la ferme (n.f.)	farm
la fève (n.f.)	bean
fier, fière (adj.)	proud
la fièvre (n.f.)	fever
figé, figée (adj.)	immobile
la file (n.f.)	line, row
la fillette (n.f.)	little girl
la fissure (n.f.)	crack
la flamme (n.f.)	love
la flaque (n.f.)	puddle
le fonctionnaire (n.m.)	civil servant
la force (n.f.)	strength
fouiller (v.)	to sort through
la foule (n.f.)	crowd
le foyer (n.m.)	home
fracassé, fracassée (adj.)	smashed
le frais (n.m.)	cost
frémir (v.)	to tremble
fréquemment (adv.)	frequently
froissé, froissée (adj.)	wrinkled
le front (n.m.)	forehead
frotter (v.)	to rub
les fruits de mer (n.m.pl.)	seafood

g

gâcher (v.)	to spoil
ganté, gantée (adj.)	gloved
la garderie (n.f.)	daycare, nursery
le gémissement (n.m.)	moan
gêné, gênée (adj.)	embarrassed
la génératrice (n.f.)	generator
le genou (n.m.)	knee
la glace (n.f.)	ice
glisser (v.)	to slip
gonflé, gonflée (adj.)	swollen
la gorge (n.f.)	throat
la gorgée (n.f.)	swallow
goûter (v.)	to taste
le goûter (n.m.)	snack
grâce à (prép.)	thanks to
le grain (n.m.)	kernel
gratuit, gratuite (adj.)	free of charge
le grognement (n.m.)	groan
le grondement (n.m.)	rumbling
guérir (v.)	to cure

h

l'habileté (n.f.)	talent
s'habituer (v.)	to get used to
la hache (n.f.)	axe
la haine (n.f.)	hatred
haletant, haletante (adj.)	panting
hâte : avoir hâte (expr.)	to be in a hurry
hâte : en hâte (expr.)	quickly
hausser les épaules (v.)	to shrug
héberger (v.)	to shelter
hébété, hébétée (adj.)	numbed with fatigue
hésiter (v.)	to hesitate
heurter (v.)	to bump into
honte : avoir honte (expr.)	to be ashamed
le hoquet (n.m.)	hiccup
hors de (prép.)	outside of
l'hôte (n.m.)	host
le hublot (n.m.)	plane window
l'hurlement (n.m.)	howling

i

immobiliser (v.)	to immobilize
n'importe où; n'importe comment (expr.)	anywhere; in any way
impuissant, impuissante (adj.)	powerless
l'incendie (n.m.)	fire
l'inconnu (n.m.)	the unknown
l'indigène (n.m.)	native
indomptable (adj.)	invincible
l'infirmier, infirmière (n.m.f.)	nurse
ingrat, ingrate (adj.)	ungrateful
inouï, inouïe (adj.)	unprecedented, unheard of
inoubliable (adj.)	unforgettable
s'inquiéter de (v.)	to worry about
insalubre (adj.)	unhealthy
s'inscrire (v.)	to enrol
insolite (adj.)	unusual
insoutenable (adj.)	unsupportable
interrompre (v.)	to interrupt
interurbain, interurbaine (adj.)	long distance
ivoirien, ivoirienne (adj.)	from Ivory Coast

j

le jardin d'enfants (n.m.)	kindergarten
jaser (v.)	to chat
la joie (n.f.)	joy
joindre (v.)	to reach by phone
la joue (n.f.)	cheek
le jouet (n.m.)	toy
juré, craché (expr.)	words added to make a promise solemn
jusqu'à (prép.)	until

k

le klaxon (n.m.)	car horn

l

lâcher (v.)	to let go
laid, laide (adj.)	ugly
la lampe de poche (n.f.)	flashlight
la larme (n.f.)	tear
légèrement (adv.)	slightly
le lendemain (n.m.)	the next day
le lever du soleil (n.m.)	sunrise
la lèvre (n.f.)	lip
libérer (v.)	to free
le lien (n.m.)	tie
le lieu (n.m.)	place
lieu : avoir lieu (expr.)	to take place
le lit à baldaquin (n.m.)	poster bed
le livreur (n.m.)	delivery person
le logiciel (n.m.)	software
longer (v.)	to go along
loup : avoir une faim de loup (expr.)	to be starving
lourd, lourde (adj.)	heavy
la lueur (n.f.)	glimmer
lutter (v.)	to fight

m

la mâchoire (n.f.)	jaw
le maïs soufflé (n.m.)	popping corn
maîtriser (v.)	to control
mal : pas mal + adjectif; pas mal de (expr.)	very; many, much
mal au cœur : avoir mal au cœur (expr.)	to have bouts of nausea
malgré (prép.)	in spite of
la mangue (n.f.)	mango
le marais (n.m.)	swamp
la mare (n.f.)	pool
marmonner (v.)	to mumble
la massue (n.f.)	club
méconnaissable (adj.)	unrecognizable
la mémère (n.f.)	granny

menacer (v.)	to threaten
le mendiant (n.m.)	beggar
mendier (v.)	to beg
mériter (v.)	to deserve
les meubles (n.m.pl.)	furniture
la milice (n.f.)	militia
le milieu (n.m.)	the environment
mince (adj.)	thin
le ministère (n.m.)	ministry
la misère (n.f.)	poverty, misfortune
moitié : à moitié (adv.)	half
se moquer de (v.)	to mock, to make fun of
mordre (v.)	to bite
mortel, mortelle (adj.)	fatal, mortal
moucher (v.)	to wipe a nose
la moustiquaire (n.f.)	mosquito net
la moustique (n.f.)	mosquito
muet, muette (adj.)	mute

n

la naissance (n.f.)	birth
le napperon (n.m.)	place mat
la narine (n.f.)	nostril
nauséabonde (adj.)	sickening
nettoyer (v.)	to clean
neuf, neuve (adj.)	brand new
le neveu (n.m.)	nephew
niché, nichée (adj.)	nestled
nono (argot canadien français) (adj.)	stupid
nostalgique (adj.)	homesick
nouer (v.)	to knot
les nouvelles (n.f.)	news
noyer (v.)	to drown
nu, nue (adj.)	naked
le nuage (n.m.)	cloud
nuire à (v.)	to harm, to injure

o

les ordures (n.f.pl.)	garbage
ôter (v.)	to take off
l'ouragan (n.m.)	hurricane
l'outil (n.m.)	tool
l'ouvrier (n.m.)	labourer

p

la paille (n.f.)	straw
la paix (n.f.)	peace
paix : fiche-moi la paix (expr.)	leave me alone
le palmier (n.m.)	palm tree
panne : tomber en panne (expr.)	to break down
le pansement (n.m.)	bandage
la papaye (n.f.)	papaya
paraître (v.)	to appear
pareil, pareille (adj.)	similar
parmi (prép.)	among
parsemé, parsemée de (adj.)	dotted, scattered with
partie : faire partie de (expr.)	to take part
le pas (n.m.)	step
se passer de (v.)	to do without
la pauvreté (n.f.)	poverty
la pêche (n.f.)	fishing
peine : à peine (adv.)	hardly, scarcely
peine : ça vaut la peine (expr.)	it's worth it
la pelle (n.f.)	shovel
penché, penchée (adj.)	leaning
péniblement (adv.)	with difficulty
pensif, pensive (adj.)	thoughtful
la pile (n.f.)	battery
le piment (n.m.)	chili pepper
la piqûre (n.f.)	injection
pire (adj.; adv.)	worse, worst
le plafond (n.m.)	ceiling
la plaie (n.f.)	wound
la plaisanterie (n.f.)	joke
plein, pleine à craquer (expr.)	full to the bursting point
plein, pleine de (adj.)	full of

plus : non plus (adv.)	neither
la poche (n.f.)	pocket
le poids (n.m.)	weight
le poing (n.m.)	fist
la pointe (n.f.)	slice (pie, pizza)
le pois (n.m.)	pea
la poitrine (n.f.)	chest
le poivron (n.m.)	pepper
poli, polie (adj.)	polite
le pompier (n.m.)	firefighter
le portail en fer (n.m.)	iron grille
le portefeuille (n.m.)	wallet
se porter bien (v.)	to be in good health
possédé, possédée (adj.)	possessed
potable (adj.)	drinkable
le poteau (n.m.)	post
la poupée (n.f.)	doll
pourri, pourrie (adj.)	rotten
pousser (v.)	to push
pousser un cri (v.)	to cry out
la poussière (n.f.)	dust
la poutre (n.f.)	beam
se précipiter (v.)	to rush
la précision (n.f.)	piece of information
près de (prép.)	near
prestigieux, prestigieuse (adj.)	important
prêt, prête (adj.)	ready
le prêtre (n.m.)	priest
prier (v.)	to plead, to pray
la prière (n.f.)	prayer
propos : à propos (expr.)	by the way
propre (adj.)	clean
propre (devant un nom) (adj.)	own
prospère (adj.)	prosperous
protéger (v.)	to protect
provenir (v.)	to come from
puant, puante (adj.)	stinking

q

le quartier (n.f.)	neighborhood
quoique (conj.)	although

r

raboteux, raboteuse (adj.)	bumpy, uneven
rabougri, rabougrie (adj.)	shrivelled
raison : avoir raison (expr.)	to be right
ramasser (v.)	to pick up
rauque (adj.)	rough
ravi, ravie (adj.)	overjoyed
rayé, rayée (adj.)	striped
le rayon (n.m.)	department of a store
réagir (v.)	to react
le, la réalisateur, réalisatrice (n.m.f.)	director of a film
recréer (v.)	to rebuild
se réfugier (v.)	to take refuge
regagner (v.)	to regain
régner (v.)	to reign
rejeter (v.)	to reject
la remède (n.f.)	remedy
remercier (v.)	to thank
se remettre (v.)	to recover
remplir (v.)	to fill
remuer (v.)	to move
renifler (v.)	to sniffle
renouer (v.)	to renew
renouveler (v.)	to renew
renvoyer (v.)	to send away
la réplique (n.f.)	aftershock
le repos (n.m.)	rest
repousser (v.)	to push away
la rescousse (n.f.)	rescue
résonner (v.)	to echo
résoudre (v.)	to solve
ressentir (v.)	to feel (an emotion)
restaurer (v.)	to restore

retenue : sans retenue (expr.) unrestrained
retrouver (v.) to meet
la réunion (n.f.) meeting
révulsé, révulsée (adj.) rolled upwards (eyes)
le riz (n.m.) rice
rompre (v.) to break up
rond : les yeux ronds (expr.) wide-eyed
ronger (v.) to gnaw
rouillé, rouillée (adj.) rusty
rouler (v.) to roll
le ruban (n.m.) ribbon
la rupture (n.f.) break-up

s

le sable (n.m.) sand
saigner (v.) to bleed
la salle d'attente (n.f.) waiting room
le sang (n.m.) blood
le sang-froid (n.m.) cool
le sanglot (n.m.) sob
la santé (n.f.) health
sauf (prép.) except
sauter (v.) to jump
sauver (v.) to save
le sauveteur (n.m.) rescuer
savoureux, savoureuse (adj.) tasty
scintillant, scintillante (adj.) sparkling
scruter (v.) to examine closely
sec, sèche (adj.) dry
le sécateur (n.m.) pruning shears
le sèche-cheveux (n.m.) hair dryer
secouer (v.) to shake
le séisme (n.m.) earthquake
le séjour (n.m.) short stay
le sens (n.m.) meaning
le sentiment (n.m.) feeling
sentir (v.) to feel
serré, serrée (adj.) clenched
serrer la main (v.) to shake hands
le siège (n.m.) seat
la soif (n.f.) thirst
soigner (v.) to care for
le soin (n.m.) care
le sol (n.m.) ground
le sort (n.m.) fate
le souffle (n.m.) breath
souffrant, souffrante (adj.) suffering
souhaiter (v.) to wish
le soulagement (n.m.) relief
soupçonner (v.) to suspect
soupirer (v.) to sigh
sourire (v.) to smile
soutenir (v.) to support
sucré, sucrée (adj.) sweetened
la sueur (n.f.) sweat
suffisamment (adv.) sufficiently
supporter (v.) to put up with
surnommer (v.) to nickname
surtout (adv.) especially
surveiller (v.) to oversee
survenir (v.) to occur
le, la survivant, survivante (n.m.f.) survivor

t

la tâche (n.f.) task
taché, tachée (adj.) stained
le tambour (n.m.) drum
tarder (v.) to delay
le tas (n.m.) pile
tâtons : à tâtons (adv.) feeling one's way
tel, telle (adj.) such (a)
télécharger (v.) to download
la tempe (n.f.) temple
tendre (v.) to hand out
tenter de (v.) to try to
le tiers (n.m.) one-third
le Tiers-Monde (n.m.) Third World
le tintement (n.m.) ringing

tirer (v.)	to pull
tituber (v.)	to stagger
se tordre (v.)	to twist
le torse (n.m.)	torso
tort : avoir tort (expr.)	to be wrong
tôt (adv.)	early
tousser (v.)	to cough
la traduction (n.f.)	translation
traiter (v.)	to treat
le trajet (n.m.)	trip
transpirer (v.)	to perspire
traqué, traquée (adj.)	hunted
la traversée (n.f.)	crossing
traverser (v.)	to cross
trébucher (v.)	to stumble
tremper (v.)	to soak
le trésor (n.m.)	treasure
tressé, tressée (adj.)	braided
la tristesse (n.f.)	sadness
trottiner (v.)	to scamper
le trou (n.m.)	hole
troué, trouée (adj.)	full of holes
tutoyer (v.)	address someone as "tu"
le tuyau (n.m.)	water pipe

u

unir (v.)	to join
l'urgence (n.f.)	emergency
usé, usée (adj.)	worn out

v

la vague (n.f.)	wave
valorisé, valorisée (adj.)	valued
le vaudou (n.m.)	voodoo
vécu, vécue (adj.)	experienced
la veille (n.f.)	eve, night before
veiller sur (v.)	to watch over
le ventilateur (n.m.)	ceiling fan
le ventre (n.m.)	belly
la verdure (n.f.)	vegetation
le verre (n.m.)	glass
se vêtir (de) (v.)	to dress (in)
vide (adj.)	empty
vif, vive (adj.)	lively
le visage (n.m.)	face
vivant, vivante (adj.)	alive
le voisinage (n.m.)	neighborhood
la voix (n.f.)	voice
voler (v.)	to rob, to steal
vouvoyer (v.)	address someone as "vous"